4・14「辺野古新基地建設に反対する県民大集会」に琉大・沖国大の闘う学生が、労働者・市民と連帯し決起（名護市・瀬嵩の浜）

大軍拡……憲を阻止せよ

ロシア……反対！

イス……虐殺を許すな！

首都圏の闘う学生が早稲田・高田馬場「怒りの学生デモ」に決起（5月3日）

日米首脳会談粉砕に起つ

全学連が首相官邸にむけ怒りのシュプレヒコール（４月10日）

県学連が米総領事館に抗議（４月11日、浦添市）

道共闘と反戦青年委が米総領事館に怒りの拳（４月10日、札幌市）

闘う学生が自民党大阪府連に抗議（４月10日、大阪市）

南西諸島の軍事要塞化を許すな

労・学・市民が勝連分屯地前でミサイル部隊配備式典阻止闘争（3月30日、うるま市）

辺野古埋め立て阻止の海上大行動（4月25日、名護市）

県学連を先頭にミサイル配備阻止の座り込み闘争（3月10日、うるま市）

闘う学生がイスラエルのラファ攻撃阻止の声轟かす（４月13日、大阪市）

鹿大生が川内原発運転延長阻止の闘いで奮闘（3月10日、鹿児島市）

闘う学生が志賀原発廃炉を求める集会・デモに起つ（3月10日、大阪市）

新世紀

第331号（2024年7月）

The Communist

帝国主義打倒！

スターリン主義打倒！

万国の労働者団結せよ！

2024年7月　No.331　目次

新世紀

日本革命的共産主義者同盟 革命的マルクス主義派 機関誌

4

アジア太平洋版NATOの構築・強化を粉砕せよ

　岸田政権・自民党は「政治資金」疑獄や諸物価高騰・貧困の強制にたいする労働者・人民の怒りの炎に包まれて、四月二十八日に投開票がおこなわれた衆議院議員補欠選挙において大惨敗を喫した。

　だが警戒せよ！　どこまでも労働者・人民を愚弄するこの政権は、生活苦に突き落とした人民から収奪した莫大な血税を注ぎこんで、大軍拡と日米軍事同盟の強化に傲然と突進しているのだ。

　四月十日の日米首脳会談において岸田は、アメリカ大統領バイデンにたいして「世界秩序を維持することに疲れたアメリカを日本が支える」「日米が世界をリードする」などとほざいた。ロシアのウクライナ侵略を転回点として米—中・露激突が熾烈化し世界が激変するなかで岸田政権は、没落する軍国主義帝国アメリカと〝運命共同体〟的に一体化する道を選択したのだ。あらゆる犠牲と負担とを日本の労働者・人民に押しつけながら、岸田政権は、日米軍事同盟を中国「主敵」のグローバル攻守同盟として強化する攻撃をふりおろしているのである。

　いまこそ、反戦反安保・大軍拡阻止・反改憲の巨大な闘いを創造せよ！　改憲・大軍拡を翼賛する「連合」労働貴族を弾劾せよ！　「反安保」を放棄した日共の志位＝田村指導部翼下の反対運動をのりこえたたかおう！

対中国グローバル同盟の飛躍的強化を画した日米首脳会談

バイデンは、ホワイトハウスでもたれた今回の首脳会談を「国賓待遇」の仰々しい儀式をもって飾りたて、「日米同盟は全世界にとっての道しるべだ」などという賛辞をもって首相・岸田文雄を最大限におだてあげる演出を凝らした。

これにのぼせあがった岸田は米議会演説で、「日本は米国の地域パートナーだったが、グローバルなパートナーとなった」などと吹きあげた。まさにアメリカの「属国」の宰相にふさわしく、日米軍事同盟をグローバル同盟として飛躍的に強化するために、軍事・経済・技術のあらゆる分野においてアメリカ帝国主義を補完し支えることを誓約したのであった。バイデン政権と〝心中〟し軍事強国化の道を驀進する意志を鮮明にしたのが岸田政権なのだ。

岸田との会談の翌十一日にフィリピン大統領マルコスをワシントンに呼びつけたバイデンは、米日比三ヵ国首脳会談を開催し、南シナ海における軍事協力の強化を確認した。バイデンのアメリカは、同盟国の軍事力・経済力・技術力を総動員して対中軍事包囲網を形成するという「統合抑止」戦略にもとづいて、中国を封じこめる軍事体制をアジア・太平洋地域に構築する意志を鮮明にしたのだ。

これらの会談をまえにしてアメリカ権力者は、アジア・太平洋地域の同盟国との関係を「ハブ・アンド・スポーク方式から格子状の戦略的同盟へと進化させる」（米駐日大使エマニュエル）などと会談にかけた目論見を喧伝した。

アメリカおよび日本の帝国主義権力者は、米日グローバル同盟を基礎として、米日韓三角軍事同盟、米日豪三ヵ国軍事協力協定、米比軍事同盟、そして米英豪の核軍事同盟たるＡＵＫＵＳなど、これら既存の軍事同盟を有機的にリンクし、もってアジア太平洋版NATOというべき「中国主敵」の多国間軍事同盟を構築する策動に全面的にふみだしたのである。

日米一体の統合作戦司令部の創設

首脳会談において米日両権力者は、米日両軍の「作戦および能力のシームレスな統合」と「指揮・統制の枠組みの向上」を確認した。

すでにバイデン政権は、二〇二四年会計年度(二三年十月〜二四年九月)の国防権限法に、インド太平洋軍司令部(ハワイ)の指揮・統制権限の一部を在日米軍に移転することを明記している(二三年十二月成立)。この新たに設置される司令部のもとに、自衛隊「統合作戦司令部」(二四年度末までに創設)を組みこむ形で、米軍と日本国軍との事実上の統合作戦司令部を設置することを合意したのが米・日両権力者なのだ。いま沖縄・南西諸島に配備されつつある自衛隊のミサイル部隊は、米軍のもとに完全に一体化され、米軍の指令のもとに中国軍への先制攻撃を遂行する能力をもつ部隊として強化されようとしているのだ。

習近平の中国は、台湾侵攻に備え、シーレーンの要衝を確保するために南シナ海および西太平洋において海・空軍の大規模演習をくりかえしている。金正恩の北朝鮮は、ロシアの軍事技術提供を基礎としてICBMや巡航ミサイルの実戦配備を猛然と進めている。これら〝敵国〟とみなした諸国家の軍事的策動を撃破するために、米日の権力者は、敵基地先制攻撃体制の構築に突進しているのである。

バイデンは、岸田およびマルコスとのあいだで、アメリカの沿岸警備隊艦船に日本の海保部隊とフィリピンの沿岸警備部隊を搭乗させての「合同海上パトロール」を実施することを合意した。またバイデン政権は、フィリピン軍を米軍指揮下により深く抱きこむための陸海空およびサイバー・宇宙などの全分野における軍事情報を共有する米比軍事情報包括保護協定(GSOMIA)の締結や、南シナ海における中国軍の動向を監視するレーダーサイトを、バシー海峡に面するフィリピン・ルソン島に配備することをマルコスにおしこんだのだ。

バイデン政権は、アジア・太平洋地域における対中国の軍事的包囲網を一挙に強化することに血眼となっているのである。

日米共同の兵器生産・軍事技術供給体制づくり

米・日両権力者は、「日米防衛産業協力・取得・維持整備定期協議（ＤＩＣＡＳ）」の設置をも合意した。

こんにち、「軍民融合」を推進している習近平の中国は、政府の強力な統制をテコとしてＡＩやサイバー・量子技術を駆使した兵器開発に突進している。

これに対抗してバイデン政権は、ミサイルなど兵器の日米共同開発・生産を推進することを岸田とのあいだで合意した。それだけではない。ＡＵＫＵＳと日本の権力者とのあいだで、ＡＩ、極超音速兵器、無人兵器、サイバーなどの先端技術分野での連携・協力を強化していく取り決めを交わした。さらに、半導体などの先端技術や希少鉱物資源にかんして、中国を排除したサプライチェーンを構築することを確認したのだ。

彼らは、日本やグアムに前方展開している米軍艦船・航空機の日本での整備・修理などに日本の軍需産業の技術力を総動員することをも策している。

いよいよ緊迫化する二〇二〇年代の現代世界のなかでバイデン政権は、軍事的レベルだけではなく、「経済安保」・通商のレベルにおいても、対中国包囲網を重層的に構築する追求に拍車をかけているのである。

二〇二二年二月にプーチン・ロシアが開始したウクライナ侵略戦争は、〈米—中・露の激突〉という二〇二〇年代世界の構造に孕まれていた戦争勃発の危機を、一挙に顕在化させ深刻なものへとおしあげた。旧ソ連邦の版図復活をかけ「大ロシア」主義をむきだしにしてウクライナ人民に襲いかかったＦＳＢ強権型国家ロシアは、西側・ＮＡＴＯ諸国にたいする核恫喝をくりかえしている。このロシアに全面的にバックアップされた金正恩の北朝鮮は、韓国や日本の米軍基地を標的とした核攻撃体制の構築に狂奔している。しかも、二〇三五年までに一五〇〇発の核ミサイルを保有することを公言している習近平の中国が、対米核戦力の増強に血道をあげている。

ソ連邦崩壊いご三十数年を経たこんにち、いよいよ没落ぶりをあらわにしているアメリカ帝国主義にたいして、ネオスターリン主義・中国およびこれと結託したロシアや北朝鮮の権力者が猛然たる対米挑戦にうってでている。これに焦りと恐怖を募らせているバイデンのアメリカは、中国による〝世界の覇権確立〟を絶対に阻止するために、「自由で開かれたインド太平洋および世界の実現」を旗印として日本帝国主義を従え、中国にたいする必死の巻き返しにうってでているのである。

日米グローバル同盟粉砕！　日本の軍事強国化を阻止せよ

アジア太平洋地域における対中国・対北朝鮮のNATO型の多国間軍事同盟を構築せんとしているバイデンのアメリカ、この要求を渡りに船として日本の岸田政権は、〝老いたる主人〟アメリカを支えアジア太平洋版NATOの中核的役割を担う軍事強国へと日本をおしあげる道を驀進している。

この政権は、台湾併呑のためには武力行使も辞さない構えをとっている習近平・中国との激突に備えて、日本を〝アメリカとともに戦争をやれる国〟へと改造することに血道をあげている。昨年末にこの政権は、沖縄県辺野古への米海兵隊新基地建設のために、大浦湾の埋め立て承認「代執行」を強行した。燃えあがる沖縄の労働者・学生・人民の辺野古新基地建設反対の闘いを傲然と踏みにじりながら。これに加えて、中国軍艦船を第一列島線以西において撃破しうる「ミサイルの壁」を沖縄・南西諸島に築きあげることに血道をあげている。

すべての労働者・学生は、熾烈化する米—中・露激突のもとで、〈軍国日本〉への跳躍をかけて岸田政権が打ち下ろす空前の大軍拡を、そして憲法改悪を、木っ端微塵に粉砕するのでなければならない。

日米共同の敵基地先制攻撃体制の構築を阻止せよ！　沖縄・南西諸島の「ミサイル要塞」化を許すな！

日共の志位＝田村指導部は、日米首脳会談・共同声明を「『戦争国家づくり』をさらに加速する」とか「日米軍事同盟の歴史的大変質」とかと非難してはいる（『しんぶん赤旗』四月十二日付「主張」や委員長・田村智子の談話）。だが、彼ら代々木官僚は、戦争政策を推進する米・日の権力者どもにたいして、もっぱら「東南アジア諸国連合（ＡＳＥＡＮ）と協力し、地域のすべての国ぐにを包摂する枠組みを創出していく」などという「外交ビジョン」なる代案を対置しその採用をお願いしているにすぎない。現に米・日権力者がフィリピンのマルコス政権を抱きこんで対中軍事同盟を強化し、これに対抗して中国権力者が核戦力強化に狂奔している。これらの軍事的角逐に反対する反戦反安保闘争を大衆的に組織化することもなく、権力者どもに「外交による平和創出」をお願いすることによっては、アジアにおいて現に高まる戦争勃発の危機を突き破る主体的力を創造することなどできはしないのだ。

腐敗を極める日共中央をのりこえ「日米軍事同盟の対中国グローバル同盟としての強化反対」「アジア太平洋版ＮＡＴＯの構築を許すな」「中国の威嚇的軍事行動反対」の旗幟を鮮明にして反戦反安保闘争をたたかいぬこうではないか！

「戦力不保持・交戦権否認」をうたう現行憲法第九条の改悪阻止！「緊急事態条項」の創設反対！

われわれは、プーチン・ロシアのウクライナ侵略戦争を打ち砕くために、断固として奮闘するのでなければならない。

イスラエル・ネタニヤフ政権によるガザ人民大虐殺を弾劾する闘いを、さらにおしすすめよ。

岸田政権の安保強化と大軍拡・改憲を阻止する反戦反安保闘争、〈プーチンの戦争〉粉砕の闘い、イスラエルのガザ人民虐殺を弾劾する闘いの大前進をかちとれ！　これら諸闘争のすべてを「岸田政権打倒！」のスローガンのもとに総集約し、岸田日本型ネオ・ファシズム政権を労働者・学生・人民の実力をもって打倒しようではないか！　わが同盟はその闘いの最先頭においてたたかう決意である。

大軍拡・憲法改悪を阻止せよ

〈プーチンの戦争〉粉砕！
イスラエルのラファ総攻撃阻止！

中央学生組織委員会

全学連のすべての学生諸君！　今春期闘争にうってでるにあたってわが中央学生組織委員会は訴える。

岸田政権はいま、アメリカのバイデン政権とともに、辺野古への米軍新基地建設や陸上自衛隊ミサイル部隊の配備など、沖縄・南西諸島を対中国の軍事要塞たらしめるための諸攻撃に一挙に突き進んでいる。

これにたいして、沖縄の労働者・学生の反基地闘争の炎が燃えあがっている。その最先頭で〈反安保〉の旗高く闘いを牽引しているのが沖縄県学連のたたかう学生たちにほかならない。

今こそわれわれは、大軍拡・辺野古新基地建設・憲法改悪の反動攻撃に突き進む岸田政権を、沖縄—日本全土を貫く反戦反安保・改憲阻止の闘いの爆発でもって包囲せよ！　労働戦線の深部でたたかう労働者と連帯して、「反安保」を放棄した日共系反対運動をのりこえ、「先制攻撃体制の構築阻止」「辺野古新基地建設阻止」「憲法改悪反対」の闘いの炎をすべてのキャンパスから燃えあがらせようではないか！

　来たる四月十日にも、アメリカで開催されようとしている日米首脳会談に反対する闘いに起て！　日米軍事同盟の対中国グローバル同盟としての飛躍的強化を打ち砕け！

目　次

　それとともにわれわれは、＜プーチンの戦争＞を打ち砕くウクライナ反戦闘争のさらなる高揚をかちとろうではないか。ロシアのプーチン政権はいま、ウクライナ全土への大規模ミサイル攻撃をくりかえしている。この蛮行を弾劾し、いっさいの自称「左翼」どもの腐敗と既成指導部の闘争放棄を弾劾しつつたたかおう！

　イスラエルのネタニヤフ政権によるガザ人民皆殺し戦争を絶対に許してはならない。シオニスト権力は、いまにも一五〇万人民が身を寄せるラファに地上部隊を突入させようと構えている。ラファ総攻撃を阻止するために、シオニスト権力を包囲する怒りのデモ津波を巻きおこせ！

　今こそ戦闘的・革命的労働者とかたく連帯して、政治資金疑獄にまみれ、労働者・人民に＜戦争と貧窮と圧政＞を強制する反動岸田政権を打倒せよ！

　政府・文部科学省による革命的学生運動破壊を狙った諸攻撃を木っ端微塵に打ち砕き、今春期闘争の大爆発をかちとれ！

1　米―中・露激突の熾烈化のもとで激動する現代世界

A　「戦争拡大」を号令するプーチンとウクライナ人民の闘い

ロシアの大統領プーチンとそれをかつぎあげているFSB官僚どもは、かの「大統領選圧勝」の演出にもかかわらず足元から噴出するロシア勤労人民の「反戦・反プーチン」の声に怯えながら、ウクライナへの軍事侵略・占領地拡大になおも狂奔している。この〈プーチンの戦争〉を打ち砕くウクライナ労働者・人民の闘いは、いま決定的に重大な局面にある。

プーチンの放ったロシア侵略軍は三月二十二日いこう、ウクライナの兵器生産を停止に追いこむことを狙って、全土のエネルギー関連施設にたいするミサイル・無人機での猛空爆をくりかえし、ウクライナを電力不足にたたきこんでいる（総発電量の半分が失われたともいわれる）。さらにロシア軍は、南部オデーサに弾道ミサイル二発を撃ちこみ一〇〇人以上もの人民を死傷させる（三月十五日）というように、この黒海沿岸の街をウクライナから奪い取ることを狙った極悪非道の攻撃に狂奔している。

目下ロシア権力者どもは、ウクライナを海のない「内陸国」と化し弱体化に追いこむために、現在ロシアが占領下においているウクライナ東・南部四州から、オデーサ、さらにモルドバ東部の「沿ドニエストル共和国」にいたる、「ノヴォ・ロシア（新ロシア）」と彼らが称する黒海北岸地域の全体に支配地域を拡大することを狙っている。この戦略目標にもとづいて、黒海沿岸の要衝・オデーサをターゲットとした攻撃をくりかえしているのだ。米欧とりわけアメリカの対ウクライナ軍事支援が――トランプ共和党の抵抗によりウクライナ支援予算の議会通過が阻まれていることのゆえに――途絶えているなかで、ウクライナ側が砲弾不足・防空システム不足を呈している現状につけこみながら。

プーチンは、このウクライナ侵略戦争に労働者・人民をさらに動員してゆくために、大統領選挙（三月十五〜十七日）における「投票率七七％、得票率八七％」という「過去最高」の「圧勝」をふりかざし、もって「特別軍事作戦」は支持されたなどとうそぶいている。

「特別軍事作戦」に賛成しない立候補者はあらかじめことごとく排除し、しかもプーチンの蓄財などを暴いてきた反体制派活動家を北極圏の牢獄で謀殺したうえでおこなわれた大統領選。人民の投票行動をすべて掌握できるばかりか票数操作も自由自在の「電子投票」方式で――一説によると二二〇〇万票ものプーチン支持票を不正にデッチあげるかたちで――おこなわれた選挙。しかも、ウクライナ東・南部四州の「占領地域」においても、ロシア軍兵士が「戸別訪問」で人民に銃口を突きつけて投票を強制した大統領選なるもの。官憲の暴力・脅迫と見え透いた票数操作で演出された「大統領選におけるプーチンの歴史的勝利」とは、まさにＦＳＢ官僚どもによる「世紀の茶番」以外のなにものでもない。

このあまりにも見え見えの茶番性ゆえに、ＦＳＢ官僚どもの思惑とはまったく逆に、長期化するウクライナ侵略戦争にたいするロシア人民の「反戦」や「厭戦」の気運は、封じこめられるどころかますます広がっているのだ。

まさにこうした局面で惹起したのが、モスクワ近郊クラスノゴルスクのコンサートホールを「武装グループ」が襲撃し一四三人もの人々を銃殺・焼殺した事件であった（三月二十二日）。この事件については、直後に「ＩＳホラサン州」が犯行声明を発表した。そして、アメリカ・イギリス政府は、ロシア側に「劇場でのイスラム勢力によるテロの発生」を事前に警告していたことも明らかにした。タジキスタン出身の実行者数名が拘束されたとされている。にもかかわらず、事件発生後十九時間もたってからはじめてテレビに登場し演説したプーチンは、「ＩＳ」についてはいっさい触れずに、「ウクライナが関与した」と執拗に叫びたてたのであった（プーチンが「イスラム過激派の犯行」と口にしたのはじつに三日後の二十五日であった）。こうしたなかで、ヨーロッパの報道機関が、〝実行犯を拘束した捜査員が、事件発生時に劇場に悠然と座っていた『青服の男たち』の一人と同一人物である〟ことを示す証拠映像を暴露した。

この残忍な襲撃事件は、ウクライナにたいするロシア人民の復讐心をかきたて、労働者・人民とりわけモスクワなど都市部の若者層をウクライナ侵略戦争に動員し、さらには国内のムスリムや少数民族の政府への反逆を抑えこみ・彼らをも動員してゆくことを狙って、FSB官僚が暗躍し仕組んだ事態である可能性がきわめて高い(本誌本号「モスクワ近郊の銃乱射事件の謀略性」参照)。謀略と暴力をもって人民をどのようにでも操作し支配できると思いあがってきたFSB官僚どもが、ウクライナ侵略の拡大に焦りに焦ったあげくのはてに、ついに馬脚をあらわしたのだ。

まさに、パトルシェフを親玉とするFSB官僚どもはみずからの墓穴を掘ったのである。今こそが、ロシア労働者・人民の頭上に君臨してきた、プーチンを表看板とするFSB強権体制の打倒にむけての総反攻の時なのだ。

「戦争継続」のために陰謀をも駆使しているこのプーチンを眼前にして、欧州諸国の権力者たちは、〝もしウクライナが敗北するならロシアはヨーロッパに侵攻する〟と怯えながら、再びウクライナ支援強化へと転じはじめている(英・仏・独・オランダなどによる、ウクライナとの個別の安保協定締結や、EUによる八兆円規模の対ウクライナ軍事支援決定など)。

おりしも、「ウクライナ支援は必要ない」「私だったら軍事費を払わないNATO諸国にはロシアをけしかける」と公言するトランプが、今秋十一月の米大統領選でバイデンに勝利する可能性が高まりつつある。「もしもトランプが再登板したら……(もしトラ)」という警戒心を高めている英・仏・独などの欧州諸国権力者は、NATOを対ロシア軍事同盟として強化するという利害にもとづいて、ウクライナ軍事支援で再結束しはじめたのだといえる。彼らは、国内においても、労働者・人民の「ウクライナ侵略反対」の澎湃たるデモに直面しているがゆえに、

「ウクライナ支援」をおしださざるをえなくなっているのだ。

このような〝欧州権力者の再結束〟に焦燥をつのらせたプーチンは、この欧州諸国の軍事支援によってウクライナ軍の戦闘体制が整う前に、黒海沿岸部をウクライナからなんとしても奪い取ろうと血眼になっているのである。

このロシア侵略軍にたいしてウクライナのゼレンスキー政権・軍は、オデーサ侵攻作戦の要となるロシア黒海艦隊の戦力を削ぐために、無人艇を用いた攻撃によってロシア軍艦船を連続的に爆破・撃沈するという反撃にうってでている。このドローン戦力と通常戦力とを組み合わせて武器不足・弾薬不足を補いながら、ロシア軍の侵攻を阻みつつ、その間にロシアにたいする攻勢に転じるための体制のたてなおしに注力しているのがゼレンスキー政権・軍なのだ。

そして、このウクライナ軍や領土防衛隊とともに、ウクライナの労働者・人民は、プーチンの悪逆な侵略にたいしてますます怒りを燃やして不屈にたたかいぬいている。このウクライナ人民の先端においてたたかっているのが、ウクライナの闘う左翼にほかならない。

まさに、「ロシアのウクライナ侵略反対」の全世界の労働者・人民の闘いが、今ほど求められる時はないのである。

B　ラファ総攻撃に突き進むイスラエル権力者

パレスチナにおいて、イスラエル・ネタニヤフ政権は、イスラム教徒にとって神聖なる断食月(ラマダン)のさなかに、一五〇万の避難民が身を寄せるガザ地区最南部ラファへの総攻撃の構えをとりながら、ガザ全土において数多の人民を血の海に沈めつづけている。六ヵ月におよぶ空と陸からの猛攻撃によって、三万二七〇〇人(三月三十日時点)もの人民を殺戮し、数十万の人民を飢餓地獄に叩きこんでいるのが血に飢えたシオニスト権力者どもなのだ。

イスラエル軍は連日にわたって、南部ラファの避難民キャンプや食料配給所への空爆をくりかえし女性や子供を含む人民を無差別に殺戮している。さらに南部ハンユニスの病院やガザ市のシファ病院に地上部隊を再突入させ、医療従事者や病人を「ハマスの戦闘員」とみなして片っ端から拷問し殺害しているのだ。

ハマスを先頭としたパレスチナ人民は、半年近くにおよぶ猛攻撃を加えるイスラエル軍にたいして決死の戦いを挑みつづけている。「ハマス中枢の壊滅」などという作戦目標がまったく達成できないことに焦りにかられた殺人鬼どもは、ハマスのゲリラ攻撃に怯えて、〝ハマスの戦闘員が再集結している〟とみなした難民キャンプや病院を人民もろともに手当たり次第に破壊し殺戮しているのだ。ガザ人民を殺戮し・シナイ半島の砂漠へと叩きだし、もって「パレスチナ解放」の拠点となってきたガザ地区をハマスもろともに地上から抹消することを狙って、人民皆殺しの総攻撃にうってでようとしているのが、ネタニヤフ政権にほかならない。まさにナチス・ドイツのヒトラーのごとき蛮行ではないか！

このネタニヤフ政権にたいして、アメリカのバイデン政権は、――イスラエルにたいする大量の軍事支援をあくまでも継続しながら――ラファへの全面侵攻をやめ「民間人の保護」と〝ハマス幹部を狙い打ちにした代替作戦〟へと切り替えることを迫りはじめた（バイデン政権は、イスラエルへのステルス戦闘機と爆弾の供与を新たに承認した）。

バイデン政権がこのような対応をとりはじめたのは、内外の窮地に陥っているからにほかならない。国内にあっては、バイデンは、イスラエルの暴虐とこれを支えるバイデン政権に怒る「Z世代」の若者層の抗議行動に包囲されて急速に支持を失い、大統領選におけるトランプへの敗色を濃厚にしている。そしてネタニヤフ政権がこのままラファ侵攻＝人民皆殺しに突き進むならば、イランをはじめとする「抵抗の枢軸」さらにはスンナ派のアラブ人民の反米闘争がますます燃えあがることによって、アメリカ帝国主義は完全に中東から叩きだされかねない。これらのゆえにバイデンは、中東における唯一の足がかりとしてイスラエル国家を擁護し・殺人兵器の供与を続けながら、ラファへの全面侵攻をめぐってはネタニヤフに一定の政治的制動をかけるという二律背反の欺瞞的な対応をとっているのだ。

このバイデン政権に猛反発したネタニヤフは、「アメリカの支援がなくても単独で実行する」とほざき、バイデン政権が呼びつけていたワシントンへの戦時内閣代表団の派遣を土壇場で中止した（国防相ガラントだけを派遣）。これによってネタニヤフ政権は、アメリカの制動をもおしきってラファ攻撃に突入する意志をしめしたのだ。

バイデン政権を支える民主党重鎮の院内総務シュ－マーが「ネタニヤフの首のすげ替え」を実現するための「総選挙の実施要求」を公然と口にした。これにバイデン政権がおのれを見限ったとみなし逆上したネタニヤフは、――来たる米大統領選においておのれの全面的な庇護者たるトランプが返り咲くことに望みをかけながら――ガザ人民ジェノサイド＝ガザ壊滅作戦に狂奔しているのだ。

このネタニヤフの放ったイスラエル軍の暴虐にたいして、ハマスは徹底抗戦の構えでたたかいぬいている。ムスリムにとって神聖なラマダン期間にいっそう高まるパレスチナ人民の〈反シオニズム・反米〉の怒りを背負ってハマスは、指導部中枢を敵の攻撃から守りつつ決死的反撃をくりひろげているのだ。これに呼応して、レバノンのシーア派組織ヒズボラがイスラエル北部の軍施設にたいするロケット弾攻撃を強化し、さらにイエメンのシーア派組織フーシが「イスラエル支援国」の商船のみならず米軍艦船にも攻撃を加えている。

こうしてシーア派国家イランのバックアップのもとに、ラマダンを迎えたシーア派三日月地帯に「ハマスとの連帯」を掲げる反米・反シオニズムの闘争が燃えあがっているのだ。

シーア派諸勢力を中心とした「反シオニズム」の闘いに包囲されたイスラエル権力者は、ヒズボラに打撃を与えることを狙ったレバノン領内への攻撃や、シリアにおける空爆に血道をあげている。

このイスラエルへの軍事支援を続けるアメリカのバイデン政権は、イギリス・スナク政権との連携のもとに、イスラエルを側面支援するかたちで、フーシの軍事拠点への空爆や、イラク・シリアの親イラン勢力およびイラン「革命防衛隊」の拠点への攻撃を強行しているのだ。

まさにいま、イスラエル・シオニスト権力を軍事的に支え、みずからもまた反イスラエル勢力にたいする軍事攻撃を強行することで、シオニスト国家とともにムスリム人民の反米・反シオニズム闘争の炎に焼かれ火だるまとなっているのが軍国主義帝国アメリカにほかならない。これにたいしてハマス、ヒズボラ、フーシといったいわゆる「抵抗の枢軸」を形成しパレスチナ人民の闘いを支援しているのが反米シーア派国家イランである。このイランをBRICSに正式加盟させ、背後から支えているのが習近平の中国とプーチンのロシアなのである。

こうして、中東において、イスラエルの暴虐を支援してきたアメリカと、イランおよびこれを支える中・露の角逐が激化し、中東全域を舞台とした新たな戦乱勃発の危機が高まっているのだ。

C　朝鮮半島・台湾・南シナ海における戦争勃発の危機の高まり

ここ東アジアにおいては、台湾の中国化をめざした攻勢を強める習近平中国と、これを阻止しようと日本をはじめとした同盟諸国を動員して軍事体制を構築するバイデンのアメリカとが、台湾・南シナ海をめぐって角逐している。朝鮮半島をめぐっては、ロシアとの結託を深めた北朝鮮と米・日・韓とが軍事的応酬をくりひろげている。いま台湾・南シナ海および朝鮮半島において同時多発的に戦乱勃発の危機が高まっているのだ。

朝鮮半島においてはいま、米韓両権力者が、合同軍事演習「フリーダムシールド」を昨年の二倍の演習項目で展開した(三月四〜十四日)後にも、北朝鮮による軍事偵察衛星の発射に備えて、米韓両軍を準臨戦態勢につかせている。これにたいして金正恩政権は、短距離弾道ミサイル発射などの軍事的威嚇をくりかえしながら、四月にも二機目の軍事偵察衛星打ち上げにふみきろうとしている。朝鮮半島において米韓（日）と北朝鮮とは一触即発の危機にあるのだ。

このさなかにプーチンのロシアは、国連安保理において提出された、対北朝鮮経済制裁の履行状況を監視する専門家委員会の任期延長決議案をば拒否権を行使して否決に追いこんだ（三月二十八日）。そうすることによってプーチン政権は、北朝鮮の核開発を阻止するための国際的枠組みを葬りさったのだ。

これを手土産にして訪朝し、近く金正恩との露朝首脳会談に臨もうとしているのがロシア大統領プーチンにほかならない。

この会談においてプーチンは、金正恩からウクライナ侵略継続のための砲弾・ミサイルの追加的供与をひきだそうと躍起となっている。プーチンは、——これまで与えてきた衛星・ロケット技術に加えて——さらに戦略・戦術核兵器の完成にかかわる軍事技術を金正恩に差しだすにちがいない。

このプーチンの全面的庇護をうけながら金正恩は、対北朝鮮の三角軍事同盟を強化する韓国・アメリカ・日本に打撃を加えうる核ミサイルの完成にむけて突き進もうとしている。

まさに近くもたれようとしている露朝首脳会談は、ウクライナ侵略を継続するために「最貧国」北朝鮮にすがりつかざるをえないプーチン政権と、勤労人民に飢餓を強制しながら核武装にしがみつく金正恩政権との血塗られた結託を強化する儀式となるにちがいない。

ロシアによるウクライナ侵略を震源として熾烈化する米—中・露の激突のもとで、金正恩政権は、プーチンのロシアがおのれを翼下に抱き寄せたことを条件として、核保有国として韓国国家と対決してゆく道にふみだした。昨二〇二三年末の朝鮮労働党中央委員会拡大総会における、「〔尹錫悦の韓国を〕敵対的な交戦国の関係に完全に固定した」との宣言——これこそは、金正恩が、スターリニストたる祖父・金日成いらい〝民族の悲願〟として掲げてきた「南北統一」の戦略目標を破棄し、韓国人民を「異なる民族」と断じて核攻撃の対象とするにいたったことをしめしている。

これにたいして、韓国の尹錫悦政権は、対北朝鮮・対中国の米日韓三角軍事同盟の強化を策す米バイデン政権の意をうけつつ、「金正恩政権の壊滅」を公然と掲げた米韓の軍事態勢を強化するとともに、日本の岸田政権との軍事的連携の強化にもいっそう突き進んでいる――日本を「世界の平和と安定のパートナー」(「三・一独立運動記念式典」での演説)などと呼びながら。

こうして朝鮮半島において、ロシアの全面的庇護をうけて核武装に突進する北朝鮮(および「核武装」には反対しつつも・これを政治的に支える中国)と、三角軍事同盟の強化に突き進む米・日・韓との政治的・軍事的角逐が激化している。第二次世界大戦後に帝国主義とスターリン主義のもとで南北に引き裂かれてきた朝鮮人民は、いま、米―中・露激突の熾烈化のもとで新たな分断の悲劇を強制され、戦乱の危機に叩きこまれているのだ。

これと同時的に、台湾・南シナ海をめぐる米・日と中国との軍事的角逐もいっそう激化している。

南シナ海においては、習近平政権は、フィリピンが軍の拠点を構える南沙諸島のアユンギン礁の周辺海域に中国海警局の艦船を常駐させ、フィリピンの補給船団に体当たりや放水をくりかえしている。習近平政権は、フィリピン軍をアユンギン礁ひいては南沙諸島から叩きだすことを狙って軍事的強硬策にうってでているのだ。

これに猛反発したフィリピンのマルコス政権は、沿岸警備隊の護衛のもとに補給船をくりかえしアユンギン礁に送りこんでいる。

アメリカのバイデン政権は、このマルコス政権にたいして「フィリピン軍の兵士が殺害された場合には、相互防衛条約が適用される可能性がある」(インド太平洋軍司令官)と「集団的自衛権の行使」を明言するかたちで、米比の対中国即応態勢を強化していることを習近平政権に公然としめしたのであった。

いままさに南シナ海・南沙諸島において、米比両軍と中国軍とが一触即発の危機にあるのだ。

この中国とアメリカに支えられたフィリピンとの軍事的応酬のただなかでアメリカの大統領バイデンは、日本の首相・岸田文雄とともに、日米首脳会談にあわせてフィリピン大統領マルコスをワシントンに招き入れ、四月十一日にも史上初めての日米比三ヵ国首脳会談を開催しようとしている。この会談において、三ヵ国の権力者どもは、南シナ海における「中国の力による一方的な現状変更反対」を宣言し、米日比の軍事的協力の強化を合意しようとしているのだ。

まさしくこの米日比首脳会談を一つの転回点として、南沙諸島をめぐる中国とフィリピンとの軍事的応酬を発火点とし、アメリカ・日本・フィリピンと中国との軍事的激突の危機がいっそう高まるにちがいないのである。

台湾をめぐっても、習近平政権は、金門島周辺海域で台湾当局に追跡された中国人漁船員が死亡した事件(二月十四日)以後、中国海警局の艦船に台湾観光船の臨検をおこなわせたり(二月十九日)、台湾当局が設定した「禁止水域」の内側に進入させたりしてきた(三月十五日)。

漁船員死亡事件のあと習近平政権は、「独立工作者」を自任してきた頼清徳が総統に就任しようとしている台湾の民進党政権にたいして、「いわゆる『禁止水域』はそもそも存在しない」(国務院台湾事務弁公室)と恫喝し、それを「力の行使」でしめすために海警局による「パトロール」という名の威嚇的航行を常態化させているのだ。

このようにして習近平政権は、「台湾海峡の『中間線』は存在しない」と一方的に宣言したうえで中国機の飛行ルートを力ずくで台湾よりに変更した(二月)のと同じ手口でもって、台湾の民進党政権から「金門島周辺の海空域の管轄権」を剥奪する策動を強めているのである。

これにたいしてアメリカのバイデン政権は、台湾の頼清徳にたいして「中国の力による現状変更は許さない」と断言し・さらなる軍事支援の強化を確約するとともに、台湾海峡において米イージス艦による「航行の自由」作戦を展開する(三月五日)などの軍事的対抗策を強めている。

そして、この台湾をめぐって激しさを増す米・中の角逐のさなかに、台湾の目と鼻の先にある石垣島の民間港への米イージス艦の寄港に全面協力したのが日本の岸田政権にほかならない(三月十一日)。

こうして東アジアにおいては、朝鮮半島と台湾海峡・南シナ海において一挙に戦争勃発の危機が高まっているのだ。

日米グローバル同盟強化の儀式

そのまっただなかで、アメリカ大統領バイデンは四月十日にも、日本の首相・岸田を国賓待遇でワシントンに呼びつけ日米首脳会談を開催しようとしている。

この首脳会談において日米両権力者は、中国の「力による一方的な現状変更反対」および「北朝鮮の完全な非核化」のスローガンのもとに、中国・北朝鮮にたいする日米共同での「抑止と対処」を宣言しようとしている。

没落の軍国主義帝国アメリカはいま、ロシアのウクライナ侵略とイスラエルのガザ侵攻という二正面での対応を迫られている。しかも国内においてはバイデン政権は、トランプとの大統領選に苦戦を強いられている。こうした内外の苦境のもとで、「主敵」中国の台湾併呑をめざした攻勢をなんとか押しとどめるために躍起となっているのがバイデン政権にほかならない。この政権は、同盟諸国を動員して対中国・対北朝鮮・対ロシアの軍事包囲網を築くという「統合抑止戦略」にもとづいて、日米安保の鎖で締めあげた「属国」日本の岸田政権をその尖兵として、兵・カネ・技術のすべてを利用しつくそうとしているのである。

こうしたバイデン政権の要求に全面的に応えているのが岸田政権にほかならない。

首相・岸田は、辺野古新基地建設や陸自ミサイル部隊の沖縄配備、アメリカやその同盟諸国との軍事技術開発を推進するための日本版セキュリティ・クリアランス制度の創設などの攻撃を矢継ぎ早にふりおろし、これらを〝手土産〟にしてバイデンとの首脳会談に臨もうとしている。岸田は、バイデンの要求に積極的に応えて、自衛隊「統合司令部」創設とその在日米軍司令部との一体化、日本におけるパトリオットなどの米国製兵器の生産や米軍艦船の整備の受け入れに加えて、フィリピン・オーストラリア

・韓国といったアメリカの同盟諸国との軍事上および「経済安全保障」上の協力などを誓約するにちがいない。

アメリカ大統領選においてバイデンの支持率が依然としてトランプを下回る状況のなかで、日米安保の鎖で縛られた「アメリカの属国」でありながら老いぼれた主人たる没落軍国主義帝国を支える日本帝国主義。まさに、軍事費や米軍駐留経費負担のさらなる増額を要求しつつ通商交渉をふっかけてくるであろうトランプの再登場をもにらみながら、バイデン政権の対日要求に全面的に応えて日米軍事同盟の「運命共同体」的強化にひた走っているのが岸田政権なのである。

来たる日米首脳会談は、日本の岸田政権が「アメリカの属国」の宰相としてバイデン政権に貢物を献上するかたちで、対中国・対北朝鮮の日米グローバル同盟のいっそうの強化を宣言する儀式となるにちがいない。

この日米両権力者にたいして中国の習近平政権は、「中華民族の偉大な復興」にとって「台湾統一は歴史の必然」などとほざきながら、約三五兆円もの巨額の軍事費をつぎこんで、米軍の介入を阻止し・台湾併呑を遂行しうる軍事体制の構築を急ピッチでおしすすめている。

国内においては「経済危機」が深まるなかで貧窮に追いやられた人民の不満・怒りがみずからに向かうことをおそれて、中華ナショナリズムを煽りたてるとともに、「反スパイ法」や香港における国家安全条例の制定など治安弾圧体制の一挙的強化に突き進んでいるのが習近平ネオ・スターリニスト政権なのである。

いま経済危機の激震に怯えつつも「中華民族の偉大な復興」を掲げ台湾の中国化に突き進む習近平の中国。スターリン主義・ソ連邦の崩壊を「地政学的惨事」などとほざきその版図をとりもどす野望をたぎらせウクライナ侵略を強行するプーチンのロシア。もはや「主敵」中国を一国で抑えこむ力を喪失して久しいがゆえに同盟諸国を束ねて対中国包囲網を構築しようとする没落軍国主義帝国アメリカ――この米―中・露の激突が熾烈化し、世界が引き裂かれ、戦火と圧政に覆われているのがスターリン主義ソ連邦の崩壊以後三十三年の現代世界なのである。

2　大軍拡・新基地建設・改憲に突き進む岸田政権

いま岸田政権・自民党は、政治資金疑獄ののりきりのためにあがくほどに、ますます高まる労働者・人民の怒りに包囲されている。

首相・岸田は、安倍派の幹部連中にたいする「選挙公認の取り消し」などのかたちばかりの「処分」をもって、政治資金疑獄の幕引きをはかるとともに、自分にとって目の上のたんこぶであった安倍派幹部の〝政治生命〟を断つという術策を弄している——宏池会という同じ源流をもつ麻生太郎と謀りながら。そしてみずからは「政党改革の先頭に立つ」などとおしだしながら「支持率回復」に血眼となっているのが首相・岸田なのだ。

いまや断崖絶壁に立たされた首相・岸田は——「議会での真相究明」を弱々しく唱えるにすぎない日共をはじめとする既成指導部の腐敗に助けられながら——政権の〝起死回生〟をかけてバイデンとの日米首脳会談を「外交成果」としておしだすことによる延命の道をまさぐっている。まさにおのれの生き残りをはかるために、アメリカ帝国主義からの諸要求に〝満額以上の回答〟で応えるかたちで、アメリカ製兵器の爆買いによる大軍拡や辺野古新基地建設などの反動諸攻撃に突き進もうとしているのだ。

見よ！　岸田政権は、二四年度予算案で八兆円、兵器購入ローン約八兆円とあわせると実に一六兆円という巨額の軍事費をつぎこんで、アメリカ製兵器の爆買いをつうじての対中国・対北朝鮮の先制攻撃体制の強化に狂奔しているではないか。

そればかりではない。政府・防衛省は日米首脳会談をまえにして、沖縄において燃えさかる反基地闘争を警察権力を動員し踏みにじって、辺野古新基地建設のための大浦湾への土砂投入を「代執行」という強権をふりかざして強行しつづけている。これと一体的に、アメリカのミサイル攻撃体制を日本国軍が補完するために、陸上自衛隊勝連分屯地への「12式地対艦ミサイル」部隊の配備や自衛隊の訓練場・弾薬庫の新設などに一挙に突き進んでいるのが政府・防衛省なのである。

まさに岸田政権は、アメリカの要請に全面的に応え・バイデン政権を支えるためにも、南西諸島を「台湾有事」における中国軍艦船にたいするミサイル攻撃の拠点たらしめる攻撃を矢継ぎ早にふりおろしているのだ。

「台湾併呑」を狙って有事の際に米軍の接近を打ち破る中国軍の軍事体制を急ピッチで構築する習近平政権。この中国軍に対抗して、アメリカ・バイデン政権は、EABO（遠征前進基地作戦）構想にもとづいて南西諸島を急速に軍事要塞化している。このバイデン政権につき従って、日本国軍を在日米軍部隊のもとに組みこんで中国軍と戦う軍隊へと飛躍的に強化するとともに、沖縄・日本全土の軍事基地の強化に狂奔しているのが岸田政権にほかならない。

政府・防衛省は、九州の自衛隊基地を、日本版海兵隊やミサイル部隊の南西諸島への出撃拠点として飛躍的に強化している。水陸機動団の三つ目の戦闘部隊の新設や佐賀空港へのオスプレイ配備、「12式地対艦ミサイル」部隊の大分への配備などがそれである。

それればかりではない。岸田政権は、アメリカの言い値で二五四〇億円もの血税を投入して購入したトマホーク四〇〇発の海自イージス艦への配備にむけて、横須賀の海自部隊の訓練を開始した。

これらをはじめとして岸田政権は、「台湾有事」における中国軍との激突を構えて、全国の自衛隊司令部の地下化や弾薬庫の新増設をどしどしおしすすめている。それとともに、全国の自治体当局にたいしては、民間空港・港湾を「軍民両用にせよ」と恫喝しつつ、米日両軍の使用に供するよう迫っているのだ。

さらに岸田政権は、イギリス・イタリアと共同開発する次期戦闘機の第三国への輸出と、「パトリオットミサイル」などのアメリカの「ライセンス生産品」の輸出解禁とを突破口として、殺戮兵器の輸出に全面的にのりだそうとしている。そうすることによって軍需生産を拡大し、日本を〝老いたる主人〟アメリカの兵器・弾薬生産を補完する兵器製造工場たらしめることをたくらんでいるのだ。

そして右のような大軍拡の「財源確保のため」と称して、岸田政権は、物価の狂乱的高騰のもとで貧窮に突き落としてきた労働者・人民にたいして軍拡大増税を、さらには社会保障の大削減を強制しようとしているのだ。

また岸田政権は、軍事技術開発に不可欠な人工知能や半導体などの最先端技術の開発をアメリカの統制下で日米一体でおしすすめるために、アメリカが要請してきた日本版「セキュリティ・クリアランス制度」を導入することをたくらんでいる。

岸田政権は、すでに「重要経済安保情報保護・活用法案」を国会に提出した。この法案は次のようなものだ――「特定秘密」の対象を「経済安保」上の情報に拡大し、企業・研究機関・大学の研究者・技術者および政府職員にたいして、その情報を中国・ロシア・北朝鮮などの「敵国」に漏らした場合には重罰を科す。そしてこれらの「機密情報」を扱う者の思想信条・家族交友関係・病歴などを洗いざらい調査する権限を、内閣情報局およびその指揮下の公安当局に与えるというものである。

だがこうした日本の警察・諜報機関による「スパイ狩り」は、アメリカのＮＳＡ（国家安全保障局）・ＣＩＡとの協力なしには遂行しえないのであって、それは日本の警察・諜報部門の、アメリカのそれへのいっそうの一体化をもたらすにちがいない。

このようなかたちで岸田政権は、アメリカ・バイデン政権の要求に応えて、「軍民融合」で最先端軍事技術開発をすすめる中国へのたち遅れを日米一体で突破することを狙って、ＮＳＣ専制体制をいっそう強化しようとしているのだ。そのもとで、大学・研究機関・企業を軍事技術開発とそのための科学研究の拠点としていっそう従属させようとしているのである。

まさにそれらは、日本が軍事面にとどまらず「経済安保」面でも、さらには諜報活動の面でも、アメリカの統制のもとにいっそう組み敷かれることをしか意味しないのである。

こうした諸攻撃の総仕上げとして岸田政権・自民党は、今年中の改憲発議をめざして憲法審査会での「条文案の具体化」を、日本維新の会や国民民主党を抱きこんですすめようとしている。岸田政権による憲法第九条破棄と緊急事態条項創設を柱とした憲法改悪こそは、米—中・露激突が熾烈化するなかでアメリカとともに「戦争する軍事強国」にのしあがることを狙った、日本政府・支配階級の全体重をかけた攻撃にほかならない。

3　既成反対運動の腐敗と全学連の革命的闘い

ロシアによるウクライナ侵略とイスラエルによるガザ侵略という世界史的事件の勃発、台湾・朝鮮半島・南シナ海での米・日—中の戦争勃発の危機の高まりという大激動と、そのもとでの日米両権力者による日米軍事同盟を強化する策動の強まり。こうした内外情勢の激動のもとで今こそ反戦闘争の嵐を巻きおこすべきこのときに、日本共産党の志位＝田村指導部は、いっさいの大衆的闘いを放棄しさっている。この日共中央の腐敗を弾劾し、その翼下の反対運動をのりこえるかたちで、岸田政権による大軍拡・憲法改悪に反対する闘い、〈プーチンの戦争〉を打ち砕くウクライナ反戦闘争、イスラエルのシオニスト権力によるガザ人民ジェノサイド弾劾の闘いを革命的に推進しているのが、全学連のたたかう学生にほかならない。

ロシアのウクライナ侵略二年に際して、全学連は、反戦青年委員会のたたかう労働者とともに、ロシア大使館や各地の領事館を包囲する「〈プーチンの戦争〉粉砕！」の怒りのデモンストレーションを断固として打ち抜いた（二月二十五日および三月三日）。ウクライナの自由労働組合連合やウクライナ連帯ヨーロッパネットワークの呼びかけに応えて闘いに起ちあがったヨーロッパを中心とした世界各地の労働者・人民と連帯して、日本の地にウクライナ反戦闘争の火柱を燃えあがらせたのだ。

さらにいま、岸田政権がバイデン政権とともに軍事要塞化をおしすすめる沖縄の地において、沖縄県学連を先頭とする労働者・人民の反基地闘争が全島を揺るがすかたちで燃えあがっている。三月二日の一二〇〇名が結集した辺野古現地での新基地建設反対の「県民大行動」につづき、岸田政権がミサイル配備をたくらんでいた三月十日には、労働者・学生が、陸自ミサイル部隊が通過する分屯地への道路を座り込みで一時間にわたって封鎖するという実力行動を展開した。

日共中央による「反安保」の放棄をのりこえ、＜日米グローバル同盟粉砕＞の旗高くその最先頭で闘いを牽引しているのが、沖縄県学連の学生にほかならない。

金沢大学のたたかう学生たちは、一月一日に発生した能登震災にさいしては、岸田政権による被災人民見殺しを許さず、白治会員を支援し・大学当局に学費減免措置を要求する自治会のとりくみを実現するとともに、岸田政権の反人民的対応を弾劾する闘いにも決起した。

そして、「反戦デモ参加で退学反対」「自治会・サークルつぶし反対」の闘いを全国に呼びかけた愛知大学のたたかう学生を先頭として、たたかう労働者と連帯を強めつつ愛大闘争の全国的・社会的な高揚を切りひらいてきたのが全学連のたたかう学生なのだ。

こうした年初いらいの革命的闘いの地平にふまえていま、全学連のたたかう学生は、新歓期を迎える全国のキャンパスにおいて、革命的学生運動の大道を切りひらくために全力をあげて奮闘しているのである。

4　反戦反安保・改憲阻止、ウクライナ反戦、ガザ人民皆殺し反対の闘いを！

全学連のすべてのたたかう学生諸君！　たたかう労働者のみなさん！

われわれは今春期、「反安保」を完全放棄した日共中央をのりこえ、大軍拡と辺野古新基地建設、憲法改悪をはじめとする岸田政権の総攻撃を粉砕する闘いを日本全国のキャンパスから断固として巻きおこそうではないか！　さらにわれわれは、〈プーチンの戦争〉を粉砕するウクライナ反戦闘争の大爆発をかちとるために力のかぎりたたかうのでなければならない。それとともに、イスラエルによるガザ人民ジェノサイドを阻止する闘いを断固として推進しようではないか。

いっさいの闘いを「岸田政権打倒」のスローガンのもとに集約し、「政治資金」疑獄にまみれガタガタとなっている岸田日本型ネオ・ファシズム政権を労働者・学生・人民の力で打ち倒せ！

Ａ　日本国軍のミサイル配備阻止！　憲法改悪を打ち砕け！

全学連のすべてのたたかう学生は、「日本国軍のミサイル配備阻止・空前の大軍拡粉砕」を焦眉の課題とする反戦反安保闘争の炎を、日本全国から燃えあがらせるために総決起するのでなければならない。

三月十日、沖縄県学連は陸自勝連分屯地（うるま市）への「12式地対艦ミサイル」部隊の車両・物資の搬入を実力で阻止する現地闘争を断固としてたたかいぬいた。沖縄県学連のたたかう学生たちを先頭とする労働者・人民は、警察権力・機動隊の弾圧をはね返し、自衛隊車両が陸揚げされた中城湾港のゲート、および勝連分屯地へと通じる道を封鎖するかたちで座り込み闘争を断固として貫徹し、十九台の自衛隊車両を一時間にわたって阻止したのだ。この闘いの熱気がさめやらぬなか三月二十日には、同じくうるま市の石川地区にミサイル展開訓練のための新たな陸自訓練場を建設しようとしている岸田政権にたいして断固として「白紙撤回」を突きつける集会に一二〇〇名の労働者・人民が結集した。

わが沖縄県学連を先頭とした「陸自ミサイル配備阻止」の闘いは、沖縄・南西諸島の軍事要塞化をたくらむ岸田政権に憤る沖縄のすべての労働者・人民を鼓舞し、その怒りは全県に燃えひろがっているのだ。労働戦線において戦闘的・革命的労働者たちは、大軍拡と自衛隊のミサイル配備を容認する「連合」芳野指導部による闘争抑圧に抗して、労働組合の内部から闘いを創造している。まさにこの奮闘に支えられて、「辺野古への米海兵隊新基地建設阻止」とともに「自衛隊のミサイル配備反対」をも掲げた労働者・人民の闘いのうねりが巻きおこっているのである。

全学連のすべてのたたかう学生諸君！ 今こそ、沖縄のたたかう労学とあい固く連帯して、岸田政権によるミサイル配備の攻撃を粉砕する闘いに総力をあげて決起せよ！ 勝連分屯地への「12式地対艦ミサイル」部隊の配備を許すな！ 新たな陸自訓練場の建設阻止！ 辺野古新基地建設阻止！ 全国の学生は、五月の沖縄平和行進および沖縄県学連の怒りのデモに結集し、「基地の島」沖縄に反戦反基地・反安保の闘いの炎を燃えあがらせようではないか！

勝連分屯地にその司令部をおく第七地対艦ミサイル連隊こそ、米軍の海兵沿岸連隊と一体となって対中国の軍事行動を担う中核部隊であり、この部隊に岸田政権は真っ先に長射程ミサイルを配備することをたくらんでいる。この攻撃こそは、岸田政権がたくらむ日米共同の先制攻撃体制づくり、および日本全土のミサイル基地化、その焦点をなすものにほかならない。

まさにそれゆえにわれわれは、沖縄における「陸自ミサイル配備阻止」の闘いの一大高揚を切りひらくとともに、この闘いを今こそ日本全国へとおしひろげ、岸田政権による先制攻撃体制の構築と大軍拡の策動を木っ端微塵に粉砕するのでなければならない。

長射程ミサイルの開発・配備、米国製巡航ミサイル・トマホークの日本国軍への配備、全国各地の兵器・弾薬庫の拡充・新設など、先制攻撃体制構築のためのいっさいの策動を打ち砕け！ 「五年間で四三兆円」を大きく超える莫大な軍事費を投入した空前の大軍拡を許すな！

辺野古・大浦湾の埋め立てを労働者・学生・人民の実力で阻止せよ！ 米海兵隊の巨大軍事基地を建設するために、大浦湾の海底に七万一〇〇〇本もの砂杭を打ちこんで生態系を破壊し、沖縄戦の戦没者の遺骨がまじった土砂で埋め立てることなど断じて許すな！

墜落事故をひきおこした欠陥機オスプレイを再び我が物顔で沖縄上空を飛行させているのがバイデン政権であり、これを唯々諾々と容認しているのが岸田政権だ。この日米両権力者を弾劾せよ！

われわれは、沖縄への陸自ミサイル部隊配備、大浦湾埋め立ての攻撃を打ち砕くために、日米軍事同盟の新たな強化をうたう日米首脳会談にも断固反対するのでなければならない。この首脳会談において は、自衛隊の実動部隊を一元的に指揮する統合作戦司令部と在日米軍司令部（日米合同作戦の計画立案という新たな権限が付与されたそれ）との「連携・調整」なるものがうたいあげられようとしている。まさに沖縄・南西諸島に配備される自衛隊のミサイル部隊は、米軍のもとに完全に一体化し、米軍の指令ひとつで中国軍にたいする先制攻撃の先陣をきる部隊として強化されようとしているのであって、これじたいが日米軍事同盟を対中国の攻守同盟として一段と強化する攻撃にほかならない。今こそ「日米首脳会談反対！　日米軍事同盟の飛躍的強化反対！」が掲げられなければならないのだ。

岸田政権にたいして「県当局との対話」や「基地負担の軽減」にむけた「米国との交渉」を政府に要請するものへと闘いを歪曲する日共の志位＝田村指導部を許すな！　「辺野古新基地建設は〔日米〕両国の政治的合意にとどまり、〔日米安保〕条約上の義務はありません」などという言辞にしめされるように、彼らは――「緊急の課題について要求の一致点で共同を広げる」という名のもとに――辺野古新基地建設反対の方針から「反安保」を完全にぬきさっているのだ。しかも彼らは、いっさいの闘いを議会主義的に歪曲しているのだ。

だが、岸田政権がバイデン政権の要求に応えておしすすめている陸自ミサイル配備も、辺野古新基地建設も、それじたいが日米軍事同盟を対中国の攻守同盟として飛躍的に強化する一大攻撃にほかならない。没落軍国主義帝国アメリカのバイデン政権は、「台湾の中国化」を策す習近平の中国を「主敵」とし・これを封じこめるために同盟国の軍事力・経済力を総動員するという「統合抑止戦略」にもとづいて、沖縄を日米両軍の最前線出撃基地として強化するとともに、南西諸島に日本国軍の「ミサイルの壁」を築かせようとしている。このバイデン政権の要求に積極的に応えて、「沖縄を戦場にするな」という沖縄の労働者・人民の怒りと悲痛な声を強権的におしつぶしながら、沖縄の軍事要塞化に突き進んでいるのが岸田政権なのだ。まさにここに、日米の帝国主義階級同盟としての本質がむきだしとなっているではないか。

しかもいまや岸田政権は、イギリス・オーストラリア・韓国・フィリピンとのあいだでも、日米安保条約のような国際条約が存在しないにもかかわらず権力者同士の一片の合意でもって事実上の軍事同盟関係をとり結んでいる。アメリカ帝国主義主導の「アジア太平洋版ＮＡＴＯ」と呼ぶべき対中国の軍事包囲網づくり、その〝扇の要〟となっているのが日米軍事同盟なのだ。

まさにそれゆえにわれわれは、陸自ミサイル部隊の配備と大軍拡、辺野古新基地建設に反対する闘いを、「反安保」を完全に放棄する日共翼下の反対運動をのりこえ、「日米軍事同盟の対中国グローバル同盟としての強化反対」「アジア太平洋版ＮＡＴＯの構築反対」の旗幟を鮮明にして推進するのでなければならない。決起した労働者・人民に、日米軍事同盟の階級的本質への否定的自覚をうながしつつ、闘いを反安保闘争として内容的に高揚させてゆくのでなければならないのだ。

かかる日米軍事同盟の飛躍的強化、その法的根拠をなすのが日米安保条約にほかならない。それは日本帝国主義の屋台骨をなすのであって、その破棄をかちとるためには、日本労働者階級・人民の階級的団結とそれにもとづく巨大な闘争を創造するのでなければならないのだ。今こそ、〈安保破棄〉めざしてたたかおう！

岸田政権は日米軍事同盟の強化・日本の軍事強国化のための諸策動を正当化するために、ロシアのウクライナ侵略および中国による台湾への威嚇的軍事行動や南シナ海の軍事拠点化の策動などを最大限に利用しつつ、これらの〝脅威〟に対抗するための

〝日米安保の必要性〟をしきりにキャンペーンしている。われわれは、プーチンのロシアと結託するネオ・スターリン主義中国の習近平政権の軍事的諸策動、その反プロレタリア性を満天下に暴露しつつ、これに断固反対することをも、「自衛隊のミサイル配備・大軍拡反対」の闘いの任務とするのでなければならない。この闘いは、東アジアにおける米・日と中・露の相互対抗的な軍事行動の応酬に反対する反戦の闘いとして推進されなければならないのだ。

また岸田政権が日本国軍の増強に突き進んでいるのは、ロシアと結託して「核保有国」の道をひた走る北朝鮮の金正恩政権に対抗して、アメリカのバイデン政権および韓国の尹錫悦政権とともに米日韓三角軍事同盟を強化するためでもある。われわれは、朝鮮半島における米・日・韓と、ロシアに抱きこまれた北朝鮮との相互対抗的な軍事演習の応酬にも断固反対するのでなければならない。

経済安保秘密保護法制定を阻止せよ

沖縄の軍事要塞化や日本国軍の増強およびその米軍への一体化など、これら岸田政権の諸策動は、「統合抑止」の名のもとに同盟国・日本の軍事力・経済力を総動員するというバイデン政権の軍事戦略に規定されている。バイデン政権に安保の鎖でつながれた「属国」日本の岸田政権は、アメリカの要請に応えてそれらを実現するためにも、「軍事強国・日本」にふさわしい軍事的・経済的・政治的基盤をいっそううち固めるための種々の策動にいま血道をあげているのだ。日米共同での先端軍事技術開発（および次期戦闘機の日英伊の共同開発とその海外への輸出）を推進するための「セキュリティ・クリアランス」制度の構築などがそれである。それゆえに、これに断固反対することをも、大軍拡反対闘争の任務とするのでなければならない。

「重要経済安保情報」を扱う民間企業や大学の研究者・技術者を対象にして、政府機関が本人やその家族・親類・知人を身辺調査し、「重要情報」を漏らしたとみなした者には五年以下の拘禁刑を科すとされる経済安保秘密保護法（特定秘密保護法も「経済安保」を対象に追加するように運用基準を改定）。

アメリカ並みの「セキュリティ・クリアランス」制度の導入を迫るアメリカに応えてつくりだされようとしているそれは、いうまでもなく、何を「重要情報」に指定するかも、何をもって「違反」とみなすかも、決めるのはすべて、アメリカNSC(国家安全保障会議)のカウンターパートたる日本のNSCである。

岸田政権の狙いは、〝中国への技術流出の阻止〟を名分として、労働者・学生・人民の思想や行動歴などのあらゆる個人情報を集積すること、政府・NSCおよび警察権力・捜査当局の権限を一挙的に強化することにこそあるのだ。かの公安当局がでっちあげた〝大川原化工機による中国への技術流出〟のようなえん罪事件が再び三度ひきおこされるであろうことは火を見るよりも明らかではないか。

われわれは、この今日版「スパイ防止法」の制定を木っ端微塵に粉砕するために、「日本型ネオ・ファシズム支配体制の強化反対」「日米軍事同盟の強化反対」を掲げてたたかうのでなければならない。

改定国立大学法人法にもとづく政府・文科省による大学への国家的統制の強化反対！　国立大学を——アメリカの大学のように——軍事政策を下支えする研究・教育機関たらしめるためのこの策動に断固反対し、軍事研究などの戦争政策に反対する大学教員・研究者・学生を大学からパージする策動をはね返せ！　高等教育のネオ・ファシズム的再編に反対せよ！

全学連のたたかう学生たちはこのかん、「反戦デモを理由とした愛大生への退学処分反対」「愛大自治会・サークルつぶし反対」の運動の社会的高揚を断固として切りひらいてきた。この画期的地平にふまえ、革命的学生運動破壊を狙った策動を打ち砕くためにさらに奮闘しようではないか！

アメリカとともに「戦争する軍事強国」への飛躍をかけた総仕上げとして岸田政権がたくらんでいるのが、憲法第九条の改悪と緊急事態条項の創設を柱とする憲法改悪にほかならない。この歴史を画する攻撃を打ち砕くために、労働者・学生・人民の「憲法大改悪阻止・大軍拡粉砕」の一大闘争を創造せよ！

われわれは、こうした大軍拡・憲法改悪反対の闘いと結びつけて、「軍拡のための大増税反対・社会保障の切り捨てを許すな」を掲げた政治経済闘争を断固として推進するのでなければならない。

円安昂進のただなかで岸田政権が軍事費を現行の「五年間で四三兆円」からさらにつりあげようとしていること、その「財源確保」を名分にさらなる増税（所得税・消費税）と社会保障の切り捨てに突き進むことを断じて許すな！　大軍拡のために、物価高騰で苦しむ労働者・学生・人民から・そして能登震災によって住む場所も奪われ仕事も失った被災人民からも血税をさらにむしりとるなど許せるか！

この人非人どもは、みずからは安倍派を筆頭に岸田派・二階派・茂木派も含めて、人民の血税を原資とする「政党助成金」を懐に入れたうえで・さらに独占資本家どもからの巨額の「政治資金」にまみれてきた。あまつさえ、「過激ダンス・パーティー」なる破廉恥行為にうち興じてきたのが自民党の輩どもだ。これらのことが白日のもとにさらけだされてもなお、居直ってさえいるではないか。

この反人民性をむきだしにする岸田自民党政権を満腔の怒りを込めて弾劾しつつ、大軍拡・憲法改悪阻止の闘いをさらに推進せよ！

新歓期にキャンパスにやってくる新入生のなかには、能登半島地震で自身や家族・親族が被災した学生もいる。全学連の学生は、自治会やサークル連合体の役員たるの資格において、被災した学生への支援策を大学当局に求めるとりくみをおこなおう。それとともに、彼らにたいして、被災人民を切り捨てる岸田政権にたいする怒りを燃やして、この政権が被災地をそっちのけにして狂奔している大軍拡やミサイル配備に反対する闘いにともに起ちあがることを、心から呼びかけようではないか！

B　〈プーチンの戦争〉を粉砕せよ！

すべての諸君！　いままさにプーチン政権は、ウクライナの首都キーウをはじめとする諸都市にたいして、エネルギーインフラ施設や住宅街、民間企業を標的にした過去最大規模のミサイル攻撃を連日強行している(三月二十二日から)。このプーチンが放ったロシア侵略軍による軍事攻撃の拡大・人民大虐殺を弾劾する闘いに、ただちに決起せよ!

許しがたいことに侵略軍どもは、ウクライナ最大の水力発電所(ザポリージャ州)や火力発電所および変電所(ハルキウ市など)を破壊し、ウクライナ各地を深刻な電力不足に叩きこんでいる。ドネツク州では、停電により一〇〇〇名もの鉱山労働者が地下に閉じこめられているという。またオデーサでは、死傷者を救うために現場にかけつけた救急隊員や医療従事者にたいして、侵略者どもは二発目のミサイルを撃ちこんで殺戮した。断じて許すな!

このプーチンの蛮行を弾劾し、ただちに断固たる反戦闘争に決起せよ! ロシア軍による大規模ミサイル攻撃を許すな! 全世界の労働者・人民は、反戦の怒りの炎で侵略者プーチンを包囲せよ!

暴力と脅迫と偽装投票によって「大統領選の圧勝」を演出してもなお「反戦・反プーチン」の労働者・人民の怒りを抑えこむことができなかったのが、プーチンを表看板とするFSB強権体制の支配者どもであった。この支配者どもは、ウクライナ侵略戦争の継続のために労働者・人民をさらに動員してゆくことを狙って、3・22「モスクワテロ」を最大限に利用しているのだ。

われわれは怒りを込めて暴露する。「実行犯」を逮捕したとされる捜査員が事件発生の前からコンサートホール内におり、銃撃現場を悠々と眺めていたこと、「実行犯」が使用した武器がロシア製の最新型の銃であったこと。これらからして、この事件はウクライナ侵略の拡大のために、ウクライナへの憎悪をモスクワなどの都市部の人民にもかきたて、追加の大動員を実現し、さらにはロシア国内のムスリム人民の反逆を抑えてゆくという〝一石三鳥〟を狙ったFSBによる〝自作自演〟の謀略である可能性がきわめて高いのだ。

ロシアの労働者・人民よ! 謀略帝国ロシアを築きあげてきたFSB・シロビキら支配者どもに満腔の怒りを叩きつけよ! ウクライナへのアメリカからの軍事支援が滞っているこのときにウクライナ侵略を一気に拡大するために、無辜の人民を平然と虐殺し、これを利用してウクライナ侵略戦争に労働者・人民を駆りたてるなど断じて許すな！　兵士として動員されているすべての労働者・人民は、その銃口を今こそプーチンら支配者どもに向けよ！　プーチン政権の侵略を打ち破るためにたたかうウクライナ人民と連帯して、「ウクライナ侵略反対―ＦＳＢ強権型支配体制打倒」にむけた総反攻に起ちあがれ！

全学連のすべてのたたかう学生は、全世界で「ウクライナ侵略反対」の声をあげる労働者・人民と連帯して、「〈プーチンの戦争〉粉砕」の反戦闘争の大爆発をかちとるのでなければならない。

日共の志位＝田村指導部は、プーチンの放ったロシア侵略軍による人民虐殺を目の当たりにしても一片の抗議すら発せず、いわんや大衆闘争も組織していない。ヨーロッパをはじめ全世界で労働者・人民が「ウクライナとの連帯」を掲げプーチンの暴虐に反対し起ちあがりつつあるこのときに、デモのひとつも組織化しない代々木官僚を、もはや闘うウクライナ人民の、そしてＦＳＢの圧政に抗するロシア人民の敵対者といわずして何と言おうか！

この腐敗しきった日共指導部どもにたいして、われわれは怒りに満ちて突きつけてやらねばならない。〈プーチンの戦争〉、まさにそれこそは、ウクライナをロシアの版図に組みこむために、ひとつの独立した国であるウクライナを民族もろとも抹殺することを狙った世紀の蛮行いがいのなにものでもない。

一九一七年のロシア・プロレタリア革命は、万国のプロレタリアートの国際的な闘争の開始を呼びかけたマルクスの『共産党宣言』によって画された「現代への転換」（黒田寛一『現代における平和と革命』）を、ロシア労働者階級の偉大な実践によって現実のものたらしめ、ここに地球上はじめて全世界労働者階級の自己解放に向けた第一歩が築かれた。だが、革命ロシアを裏切ったスターリンとその末裔どもによってスターリン主義的に変質させられたソ連邦は、全世界のプロレタリアートとマルクス主義を裏切る大罪を重ねた末に、「圧政と貧困」の別名となり崩壊した。「資本主義ロシアの復活」は「亡国ロシア」への転落いがいのなにものでもなかった。このなかから、ソ連時代の国有財産を簒奪して権力者にのしあがり、ソ連時代とウリふたつの人民支配のシステムを築きあげたのが、元KGBの小役人・プーチンをかつぎあげたシロビキら支配者どもなのだ。この輩どもが、ソ連時代の版図を復活させる野望にもとづいて、「一%の特権官僚による七五%の富の支配」を守りぬくためにしかけた悪逆無道の侵略戦争、それが∧プーチンの戦争∨なのである。

これにたいして闘争放棄を決めこむのは、スターリン主義ソ連邦の自己解体的崩壊という世紀の事態との対決も、世界革命を裏切ったスターリン主義との対決も放棄しているネオ・スターリン主義者の歴史的犯罪といわずして何であるか！

「反帝国主義・反スターリン主義」を背骨とするわれわれは、∧プーチンの戦争∨の階級的・世界史的意味を満天下に暴露し・この世紀の犯罪を弾劾する闘いを、全世界の労働者・人民の最先頭で推進するのでなければならない。ウクライナ反戦から逃亡する日本のネオ・スターリン主義党の指導部を弾劾し、ウクライナ反戦闘争の嵐を巻きおこせ！

全学連OBを含むわが革共同革マル派の同志たちが交流を深めてきたウクライナのたたかう左翼は、ウクライナ人民のレジスタンスに敵対する自称「左翼」どもにたいして、マルクス主義者として怒りに満ちて対決しながら、プーチンの侵略にたいして果敢にたたかっている。それと同時に、戦争の長期化のなかでウクライナ政府の新自由主義的政策に反対し労働組合の組織的強化をかちとりつつある。

われわれ日本の革命的左翼は、彼らウクライナの左翼の人びとと連帯して断固としてたたかおうではないか！

C　ネタニヤフ政権のラファ総攻撃を絶対に阻止せよ！

われわれは、ウクライナ反戦闘争とともに、イスラエルのネタニヤフ政権によるガザ人民皆殺し攻撃に反対する闘いを断固として巻きおこそうではないか！

国連安保理ではじめて採択された「ラマダン期間中の停戦決議」をも意に介さず、——拒否権を行使しなかったバイデン政権に猛反発しながら——ガザへの攻撃を連日強行しているのが、殺人鬼・ネタニヤフ政権にほかならない。各地の食糧配給所およびそこに集まる人びとを狙い打ちにしたイスラエル軍の空爆を弾劾せよ！　シファ病院などのガザ各地の病院にたいする軍事攻撃・人民虐殺を満腔の怒りを込めて弾劾せよ！

イスラエルの侵攻によって、すでに三万二七〇〇人を超えるガザ人民が虐殺された。ガザは人口二二〇万人のうち四分の一が「飢饉寸前」にあり、乳幼児（二歳未満）の三人に一人が栄養失調で死の淵にあるといわれるほどの地獄と化しつつある。このうえさらに、ネタニヤフ政権が一五〇万人が避難しているラファへの全面的軍事侵攻を強行するなど、断じて許してはならない。

ヨルダン川西岸においてパレスチナ住民を暴力的に叩きだし、入植地を拡大するシオニスト権力者を許すな！

シオニスト権力者は、パレスチナ解放闘争の拠点となってきたガザそのものを地上から抹殺することをたくらんでいる。こうした国家意志にもとづいて、パレスチナ人民を飢餓に追いこみながら、女性・子ども・老人を問わず血祭りにあげ、ガザから叩きだそうとしているのだ。まさにナチス・ヒトラーと同断の、世紀のジェノサイドではないか！

このシオニスト権力者の暴虐を断じて許すな！　日本の、全世界の労働者・人民は、ネタニヤフ政権を包囲する反戦の嵐をただちに巻きおこせ！　イスラエルの労働者・人民は、ネタニヤフ政権を打倒せよ！

イスラエルを擁護し軍事支援を継続しているバイデン政権にたいして怒りの声をあげるアメリカの労働者・人民とりわけ「Z世代」とよばれる若者たちよ！　バイデン政権がいまごろになって「人道的配慮を」などと口にしているのは、大統領選にむけて労働者・人民の怒りの声をかわすための姑息な自己保身にすぎない。今こそ、このバイデン政権を、「イスラエルの全面擁護」を掲げるトランプと串刺しにするかたちで弾劾し、断固たる反戦の闘いのうねりを巻きおこせ！

暴虐のかぎりを尽くすシオニスト権力者にたいしても、大衆的な反戦の闘いをいっさい放棄しさっているのが日共中央にほかならない。彼らはただ各国権力者に「国連による解決」をお願いしているだけなのだ。

この彼らの主張たるや、「天井のない牢獄」を突き破るために決死の闘争を敢行したハマスの10・7越境攻撃と、イスラエルによるジェノサイドとを、ひとしく「国際法違反」と断じるというものにほかならない。ガザ人民を虫けらのように殺戮しガザを軍事占領せんとするイスラエル権力者とこれを全面的に支えるアメリカ帝国主義権力者への怒りも、「パレスチナ解放」をめざして抵抗闘争をたたかうパレスチナ人民への共感のひとかけらもないのが、代々木官僚どもなのだ。

こんにちの代々木官僚には、アメリカ帝国主義にたいする怒りと憎しみが百パーセント欠落している。ガザ人民を「天井のない牢獄」に閉じこめ、これに抵抗する者を無慈悲に虐殺してきたシオニスト権力のすさまじい暴虐、これを公然と擁護してきたのがアメリカ帝国主義権力者どもではないか。反米のシーア派国家イランとこれを支える中国・ロシアとの全面対決に備えて、アラブ諸国権力者にイスラエルとの関係改善をうながし、そうすることによってパレスチナを孤立させてきたのがアメリカ帝国主義ではないか。

それだけではない。民族解放闘争を否定しさってから久しいこんにちの代々木官僚が、ハマスによる抵抗闘争を――シオニストの暴虐と同列において――「国際法違反」などとほざくことほど許しがたいことはない。米欧帝国主義国家とスターリン指導下のソ連邦との結託にもとづくイスラエル建国（一九四八年）。アラブ中洋地域におけるソ連の地歩を拡大するというスターリニスト官僚の利害にもとづくパレスチナ解放闘争の利用（一九六〇年代から一九七〇年代）。そしてソ連邦の崩壊後に政治的後ろ盾を失ったＰＬＯアラファト指導部のアメリカ帝国主義への屈服……。パレスチナ解放闘争への裏切りを重ねてきたのが、ソ連スターリン主義ではないか。アラブの労働者・人民を裏切りつづけてきたスターリン主義者の歴史的大罪、これにほおかむりするばかりか、いまやパレスチナ解放闘争にたいする敵対者としての本性をむきだしにしているのが、日共中央なのだ。

われわれは、この日共中央を弾劾し、ガザ人民皆殺し攻撃に狂奔するネタニヤフ政権を弾劾する闘いをさらに燃えあがらせようではないか！

そして中洋アラブ世界全域で起ちあがるムスリム人民にたいして、イスラエル権力者と癒着する自国のアラブ諸国権力者を弾劾し、〈イスラミック・インター－ナショナリズム〉にもとづく反米・反シオニズムの闘いを巻きおこすべきことを断固として呼びかけつつたたかおうではないか！

すべての諸君！「政治資金」疑獄にまつわる自民党政治エリートどもの醜悪な姿が次々と明るみにだされ、岸田自民党政権は労働者・学生・人民の怒りの炎で火だるまとなっている。この政権が、まさにその危機ゆえに、軍事強国化と憲法改悪に突き進むなど断じて許してはならない。今春期、われわれは職場深部で春闘をたたかう労働者とかたく連帯して、反戦反安保・改憲阻止の闘い、大増税・社会保障切り捨て反対の闘いを断固として推進しようではないか。

それとともに、能登半島地震によって発生した志賀原発の重大な火災事故を隠蔽し・情報操作しながら、原発・核開発に突き進む岸田政権を弾劾せよ！「地震の巣の上にたつ志賀原発を即時廃棄せよ」「全国の原発の再稼働・新増設反対」の闘いを巻きおこせ！

ウクライナ反戦闘争、さらにはシオニスト権力によるガザ人民皆殺し戦争に反対する闘いの炎をさらに燃えあがらせよ！

これらすべての闘争を「岸田政権打倒」のスローガンのもとに総集約し、岸田日本型ネオ・ファシズム政権を労働者・学生・人民の力で打倒せよ！

南西諸島の軍事要塞化を粉砕せよ

辺野古新基地建設阻止！　今こそ〈反安保〉の闘いを！

沖縄県委員会

オスプレイの飛行再開弾劾！

許しがたいことに、バイデン政権は屋久島沖への米空軍オスプレイ墜落事故（二〇二三年十一月）の原因と対策の詳細を公表することを拒否しながら、世界中で飛行を停止していたオスプレイの飛行再開を傲然と強行した。三月十四日以降、普天間基地の欠陥機オスプレイが連日、住宅地上空を飛びまわっているのだ。防衛相・木原稔は「〔米軍の判断は〕合理的」、事故原因は「米側の事情でつまびらかにできない」などとほざき、労働者・人民を愚弄し〝アメリカの属国〟ぶりをあらわにした。そして、米軍につづき木更津駐屯地の陸上自衛隊オスプレイの飛行を再開したのだ（三月二十一日）。

米・日両権力者どもが口をつぐもうとも、かの墜落事故の原因がエンジンとローター（回転翼）をつなぐギアボックスの部品破損にあることは明らかなのだ。揚力不足を補うべく二基のローターを高速回転させるがゆえにその部品が破損しやすいというオスプレイ特有の構造的欠陥をおし隠し、「整備と手順の変更」だけでオスプレイの飛行再開に踏みきったのだ。

「台湾有事」が切迫していると危機感を昂ぶらせているバイデン政権は、高速・長距離飛行と大容量積載可能なオスプレイが海兵隊の「遠征前進基地作戦」に不可欠の輸送機であるがゆえに、労働者・人民の命の危険を無視して欠陥機の住宅地上空での訓練を強行している。このことに日米安保同盟の反人民性・階級性が如実にあらわになっているではないか。欠陥機オスプレイの飛行再開弾劾！　一切の米軍演習を許すな！

バイデン政権は、このMVオスプレイを有する海兵隊の最新鋭基地を辺野古（キャンプ・シュワブ）に建設しようとしている。その意をうけて岸田政権は、辺野古側の埋め立てにつづいて、超軟弱地盤が広がる大浦湾の埋め立て工事に着手したのだ。同時に隣接する辺野古弾薬庫に核兵器貯蔵可能な十二の弾薬棟を建設する工事を強行している。

わが同盟は訴える！　職場・学園・地域から闘いを高揚させ、労働者・人民の実力で辺野古新基地建設を阻止せよ！　南西諸島のミサイル基地化を許すな！「反安保」を放棄した日共系平和運動をのりこえ、対中国の日米グローバル同盟の強化に反対し、〈基地撤去・安保破棄〉めざしてたたかおう！

対中国の準臨戦態勢に突入した米・日両軍

いま米・日両権力者は「日米同盟の抑止力・対処力の強化」の名のもとに、対中国の準臨戦態勢をいっきょに強化している。

米海兵隊・米海軍と陸上・海上自衛隊は、九州・沖縄において日米共同演習「アイアン・フィスト24」を二一〇〇人の兵員を投入して強行した（二月二十五日～三月十七日）。今回初めて、作戦の司令塔となる「日米合同司令部」をうるま市の米軍キャンプ・コートニーに設置した。「作戦策定や各部隊への指揮などハイレベルな訓練」をおこなうなどと称して、米軍司令部の実質的指揮下に米・日両軍が上から下まで統合・運用されたのだ。三月十二日にはアメリカ第3海兵遠征旅団と陸自・水陸機動団が一体となりホーバークラフト型揚陸艇を使って金武町ブルービーチに強襲上陸する訓練を強行した。これこそは、南西諸島の島々を移動しながら中国艦隊を攻撃する遠征前進基地作戦構想にもとづく〝対中国戦争の予行演習〟にほかならない。

さらにこの演習と連動して、バイデン政権は石垣島を中国の台湾侵攻を阻むための前線拠点とするために、米海軍イージス・ミサイル駆逐艦「ラファエル・ペラルタ」を石垣港に入港させた（三月十一日～十三日）。だが米駆逐艦は、石垣港の水深が浅いために接岸できず沖合い停泊を余儀なくされた。全港湾労組が米軍艦船の民間港使用に反対してストライキ闘争を敢行し、これと連帯してたたかう労働者・市民がシュプレヒコールを叩きつけるなか、米軍は小型船を使って「ペラルタ」乗組員の上陸を強行したのだ。（岸田政権は、海自や米海軍の巨大艦が接岸できない問題を打開するため、石垣港の水深を深くする工事を企んでいる。そのためにも石垣港ならびに那覇空港を、自衛隊（米軍）が円滑に利用し・整備できる「特定利用空港・港湾」に指定した（四月一日）。）

労・学の怒りを踏みにじりミサイル部隊配備を強行

岸田政権は、米海兵隊の「遠征前進基地作戦」と連携して中国艦隊を攻撃する任務を担う「12式地対艦ミサイル部隊」の沖縄本島・勝連分屯地への配備を強行した。陸自部隊は、沖縄県学連の学生を先頭とした労働者・人民の断固たる実力阻止闘争に阻まれ右往左往しながら、ミサイルとその発射機・装備品を基地に搬入し、三月二十一日に石垣・宮古・奄美・沖縄本島の四つの地対艦ミサイル部隊を指揮・統括する「第7地対艦ミサイル連隊」（本部管理中隊一〇〇人）を新設した。今後、この12式ミサイルの飛距離を一〇〇〇キロメートルに伸ばし中国本土をも攻撃できる「能力向上型ミサイル」

だ。

さらに同日の二十一日に陸自・与那国駐屯地に、電磁波を利用して戦う電子戦部隊を配備・発足させ、今後、地対空ミサイル部隊も配備しようとしている。中国の台湾侵攻を阻止するために、与那国島をまるごと日本国軍の軍事拠点にしようとしているのだ。

そして沖縄駐留の陸上自衛隊第15旅団を大増強し師団に格上げしようとしている防衛省は、うるま市石川の住宅地に隣接したゴルフ場跡地に新たな陸自訓練場を建設しようとした。だが訓練場建設計画にたいして労働者・人民の怒りが爆発し、三月二十日の「計画断念を求める市民集会」に一二〇〇人が結集して「絶対阻止」の雄叫びをあげた。追いつめられた防衛省は「計画の再検討」を口にしつつも、演習場建設をあきらめてはいないのだ。〔防衛相・木原は石川地区への当初計画「取りやめ」を表明した(四月十一日)。だがなお、沖縄本島内の別の場所への新訓練場建設を画策しているのだ。〕

日米軍事同盟の対中国攻守同盟としての強化

いまや、プーチン・ロシアのウクライナ侵略を震源として、ここ東アジアにおいても、台湾海峡、南シナ海、そして朝鮮半島を最前線として米・日・韓—中・露・北朝鮮の角逐が激化している。

アメリカに伍する超大国に飛躍し「世界の中華」となることを国家戦略とする中国・習近平政権は、三月初旬の全国人民代表大会において「中国式現代化により強国づくりと民族復興という偉業を全面的におしすすめる」(政府活動報告)と宣言した。核弾頭を五〇〇発以上に倍増させるなど核戦力を増強している。そして中露海軍共同演習「海上連合」やロシアの「ヴォストーク」演習に中国軍が参加するなどロシアとの同盟的結託を深め、北朝鮮・イランとの軍事的協力関係を強めている。そのことを基礎に、「人類運命共同体の構築」をシンボルとしてグローバルサウスの諸国をとりこみアメリカに対抗する国際的連携を広げる外交活動を活発化させているのだ。そして「中華民族の根本的利益を守る」と称して、台湾にたいしては中国海軍艦船が台湾周辺を遊弋して威嚇している。また習近平政権が勝手に「領海」と宣言した南シナ海において、中国海警局の船舶がフィリピン艦船に体当たりし放水するなどの軍事的恫喝をくりかえしているのである。

この中国と米・日とが熾烈な軍事的角逐をくりひろげている。このようなときにバイデン政権は、首相・岸田文雄とフィリピン大統領マルコスをワシントンに呼んで、四月十日に日米首脳会談、十一日に日米比首脳会談を開催しようとしている。イスラエルのガザ大虐殺に加担したがゆえに人民の怒りをくらってトランプとの大統領選挙戦で劣勢に陥ったバイデンと、裏金疑獄に揺らぐ岸田は、それぞれの政治危機をのりきるためにも日米安保同盟の強化をうたいあげ、中・露の挑戦に立ちむかう「強い指導者」として自己をおしだそうとしている。

日米首脳会談において、バイデンと岸田は、日米両軍司令部の一体的強化を意志一致しようとしている。岸田政権は、アメリカ軍のインド太平洋司令部との合同司令部を構築するために、今二四年度末までに陸・海・空三自衛隊を一元的に指揮する常設の「統合作戦司令部」を発足させようとしている。これに呼応してバイデン政権は在日米軍司令部の機能を強化し、米・日両軍の指揮機能を一体化させようとしているのだ。そして岸田は、地対空誘導弾パトリオットや弾薬など軍備品の対米輸出だけでなく、米第七艦隊艦船や戦闘機の日本における整備・修理など新たな対米貢献をバイデン政権に約束しようとしている。今回、「防衛装備移転三原則」の運用指針を再改定し、殺傷兵器たる次期戦闘機の第三国への輸出解禁に踏みきった。このことによって、日本の軍需産業を育成し、アメリカをはじめとする世界各国への〝武器供給工場〟にしようとしているのだ。

さらにバイデン政権は、米・日とフィリピンとの同盟関係をうたいあげ、中国包囲の陣形を形成しようとしている。もはや独力では中国を封じこめることができない没落アメリカ帝国主義のバイデンは「統合抑止」戦略にもとづいて、日米軍事同盟を中軸にして韓国・オーストラリア・イギリス・フィリピンとの軍事同盟を重層的に結びつけ、中国・ロシアに対抗するアジア太平洋版ＮＡＴＯを形成しようとしているのだ。

岸田政権は、このアメリカの追求に積極的に呼応している。中国・ロシア・北朝鮮という核武装国家に最前線で対峙している日本の岸田政権は、アメリカの核戦力に依存しつつも、日本を中国・北朝鮮にたいする先制攻撃を遂行しうる軍事強国に飛躍させようとしている。そしてインド太平洋地域を股にかけて日本が米軍戦力を肩代わりして軍事的役割をいっそう拡大しているのだ。航空自衛隊機をオーストラリアに常時ローテーション配備し、また水陸機動団を南シナ海にまで派遣して米・比両軍とともに上陸演習を強行している。今回の日米（比）首脳会談は、日米グローバル同盟を強化する画期として強行されようとしているのだ。

まさに米・日―中・露が激突するなかで、その最前線にある沖縄は米・日による中国への先制攻撃の出撃拠点とされ、労働者・人民は中国軍のミサイル攻撃による地獄にたたきこまれようとしているのだ。

「反安保」を投げ捨てた日共指導部を許すな！

この重大なときに、日本共産党の志位＝田村指導部は、「反戦・反基地」の大衆的闘いの組織化を放棄し選挙むけに自党の「平和外交ビジョン」の宣伝にうつつをぬかしている。この日共中央の闘争放棄と「反安保」の放棄を暴露し弾劾するわが同盟の批判によって、下部活動家からは「上は選挙のことしか考えていない（たたかう気がない）」という不満・反発が噴出している。追いつめられた官僚どもは、辺野古現地集会などに出てきて「日本政府の対米従属の姿勢を糺し、地位協定改定の闘いをつくろう」などと発言したり（「安保廃棄」は決して口にしない）、わが同盟の情宣隊にむかって「（党としては）安保廃棄を掲げている。大衆運動では一致点が大事なんだ」と弁明したりと、保身的対応に汲々となっているのだ。

今日の志位＝田村指導部は、岸田政権が「代執行」の強権を発動し新基地建設工事を強行していることにたいして、ただ「民意を無視し地方自治を踏みにじる暴挙」と非難し、「普天間基地の無条件撤去を求める対米交渉」を自民党政府にお願いしているにすぎない。彼らは、「日米安保に対する賛成・反対の違いを超えて」「緊急の一致点での共同を広げる」ことを自己目的化し、「運動」方針から「反安保」も「反ファシズム」も抜きさっているのだ。だがこれは岸田政権への幻想をあおり、闘いを無力化する犯罪的方針ではないか。米・日両権力者がおしすすめる辺野古新基地建設、南西諸島のミサイル要塞化、日本の大軍拡の策動こそは、日米軍事同盟を対中国攻守同盟として強化する攻撃にほかならない。そして怒れる労働者・人民の闘いを強権的におし潰すために史上初の「代執行」を強行し、今また「基地の島」沖縄のほぼ全域を「土地規制法」の対象区域に指定して日常的に監視・弾圧をおこなおうとしていることに、この攻撃の・そして岸田政権のファシズム的本性が如実にあらわとなっているのだ。したがって辺野古新基地建設阻止・ミサイル基地化反対を「反戦・反安保」「反ファシズム」の闘いとしてたたかうのでなければ、勝利の道を切りひらくことは決してできない。ところが日共指導部は、闘いのただなかで「反安保」も「反ファシズム」も掲げることを放棄している。これではまったく無力なのだ。

たとえ自己保身にかられた日共中央が「党としては安保廃棄を掲げる」と口にしたとしても、その内実は「対等・平等・友好の日米関係をつくる」という将来の日本政府の政策選択の問題に矮小化されている。それは、かつての日共の「安保廃棄」(=「反帝」)を廃棄したものでしかない。だが安保条約にもとづく日米軍事同盟こそは帝国主義的階級同盟であり、権力者にとって日本国家存立の根幹をなしている。だからこそ安保条約の破棄は、労働者階級の階級的団結にもとづく闘争によってのみかちとることができるのだ。日共指導部は、この日米軍事同盟および現存日本国家のブルジョア階級的本質を没却し「安保廃棄」を政府の政策選択の問題に解消するがゆえに、労働者・人民がみずからの力で安保を破棄するという階級的自覚をかちとることを阻害することになるのだ。

基地撤去・安保破棄めざしてたたかおう！

　いまこそ辺野古新基地建設を阻止し、陸自ミサイル部隊の配備・南西諸島の軍事要塞化に反対してたたかおう！　新たな陸自訓練場建設・沖縄市への自衛隊弾薬庫の建設を阻止しよう！　欠陥機オスプレイの飛行再開弾劾！　米軍・自衛隊による民間港湾・空港の使用反対！

「反安保」なき日共系平和運動をのりこえ、「日米グローバル同盟粉砕！　アジア版NATO構築反対！」の旗幟を鮮明にし、〈基地撤去・安保破棄〉めざしてたたかおう！

　同時に中国の習近平政権による威嚇的軍事行動に断固として反対しよう！　中国の核戦力の大増強反対！　ロシアの技術援助のもとで核・ミサイルの開発・配備に突進する北朝鮮・金正恩政権弾劾！　米日韓三角軍事同盟の「核軍事同盟」としての再構築・強化に反対しよう！　米―中・露激突のもとでの台湾・朝鮮半島をめぐる戦乱と新たな核戦争の勃発を絶対に阻止しよう！

　〈軍国日本〉への飛躍のために岸田政権がうちおろす空前の大軍拡と憲法大改悪をうち砕け！　憲法第九条破壊と緊急事態条項の新設を核心的内容とする「改憲条文案」の今通常国会への提出を阻止せよ！　みずからは独占資本家どもからの巨額の〝ヤミ献金〟にまみれながら大衆収奪を強化し、安保同盟強化と大軍拡に突進する極悪の岸田ネオ・ファシズム政権を労働者・人民の総力で打倒しよう！

　同時に、たたかうウクライナ人民と固く連帯して、ロシアのウクライナ軍事侵略に断固反対しよう！　満腔の怒りをこめてイスラエル・シオニスト政権のガザ大虐殺を弾劾し、ラファ総攻撃を絶対に許すな！

　すべての労働者・学生は、「辺野古新基地建設阻止！」現地闘争を戦闘的にたたかおう！　5・18沖縄平和行進・県民大会を〈反戦・反安保〉の闘いとして高揚させよう！

モスクワ近郊の銃乱射事件の謀略性

ロシアの労働者・人民は今こそプーチン政権打倒に起て！

（1）

三月二十二日の午後八時頃、モスクワ郊外のロック・コンサートの会場（クロクス・シティホール）において、迷彩服姿の武装グループ数人が突入し、開演を待つ数千人の観客に向かって自動小銃を乱射するという事件が発生した。襲撃と同時に、爆発音と共に火災が発生し建物の屋根の一部も崩落した。この襲撃による死者は一四四人（三月二十九日）に達し、多くの市民が負傷した。ＦＳＢ（ロシア連邦保安庁）の発表によると、車で逃走した襲撃グループの四人はロシア南西部のブリャンスク州で逮捕されたという（その後当局は、ロシア国内のＩＳ員七人を逮捕したと発表した）。

事件後ただちに、ＩＳ（「イスラム国」）が同組織の系列下の「アマク通信」をつうじて、「ＩＳの戦闘員がクラスノゴルスクでキリスト教徒の集会を攻撃し数百人を殺傷した」との声明を発表し、現場の動画も公開した。襲撃グループは全員、タジキスタンの国籍を持つＩＳの構成員であることは、ロシア当局自身が認めている。

ロシア政府は当初、プーチン自身も出席した政府の協議の場で「ウクライナの関与の証拠はない」との見解で一致したといわれている。このゆえにプーチンのいわゆる側近は、「ウクライナ関与説には何の証拠もない」と口々に語ったのであった。

ところがプーチンは——おそらくはパトルシェフをはじめとするFSB強権国家の国家官僚によってひっくり返されたのであろう——事件後十六時間も経ってからおこなったビデオ演説(二十三日)においてはじめてこの事件に言及した際には、一転してISについては一言も触れず、「テロリストはウクライナに逃走するつもりであった。ウクライナは越境のための窓口を用意していた。明らかにウクライナが関与している」などとほざいたのであった。

(2)

いま素描したような今回の事件のいきさつだけをとってみても、この事件の背後には、プーチンを表看板とするFSBの暗躍があることが容易に推測しうる。

プーチン政権はいま、「ウクライナは犯人に資金と暗号資産を渡した」だの「背後には欧米もいた」だのと、まるで狂ったかのように「ウクライナ関与」説を喚きちらしている。だがこの事件には、逆にロシア権力者こそが関与しているという真実が、いまや日に日に赤裸々になりつつある。

まず、プーチンの「盟友」のはずのベラルーシ大統領ルカシェンコ自身が、プーチンが「ウクライナの関与」説の唯一の〝論拠〟としているところの「ウクライナへの逃走」説を否定している。ルカシェンコ曰く、「犯人ははじめベラルーシに逃げこもうとしていた。ところがプーチンから電話がかかってきて『国境を封鎖して、入れないようにしてくれ』と言ってきた。それで犯人たちはやむなくウクライナへ向かおうとして、逮捕されたのだ」と。

さらにアメリカ帝国主義のバイデン政権が事件後に主張したことによれば、事件の二週間ほど前に、「攻撃計画の情報」を「長年の警告義務政策に従って」ロシア当局に伝えていたという。これ自体の真偽はともかく、三月七日にモスクワにある米大使館の公式ウェブサイトに次のような警告文が掲載されたことは事実である。「過激派がモスクワ市内でコンサートなどにたいする攻撃を計画しているとの情報がある」と。そしてバイデン政権は、ロシア在留の米国人にたいして、大規模イベントへの参加を避けるように呼びかけていたのである。

ロシア政府が事前に今回の襲撃計画を察知していながら、これを阻止しないどころか逆に今後のウクライナ侵略戦争のために利用しようとしたことは、今や明らかなのだ。

そして事実、ロシアの大統領報道官ペスコフは三月二十二日、襲撃事件よりも前に公開されたあるロシアの政府系新聞とのインタビューのなかで、「われわれは今、戦争状態にある」ことを「それぞれが『内なる動員』のために理解する必要がある」と述べたてたのであった。これまではウクライナ侵攻を「特別軍事作戦」と強弁してきたロシア政府が、事件の直前に突如として「ロシアが戦争状態にあることを国民は理解せよ」などと叫びだしたのであって、このこともまた、今回の事件の背後でロシアＦＳＢ強権国家が蠢いたことの露頭なのだ。

（3）

だが、今回の事件の謀略性は、それだけにはとどまらない。

ベラルーシに向かっていた襲撃グループがその進路をウクライナ方面に変えた。これを治安当局者がブリャンスク州で逮捕した。ところがこの治安当局者は、なんと襲撃の現場である会場にあらかじめ居たのである。

当日の現場では多くの聴衆がスマホで動画を撮っていた。そのなかに、全員青いスウェットシャツに青いジーパンという服装の数人の男が、バラバラに・しかし近い距離で座っているのが映っている。しかもこの男たちは、逃げまどう聴衆とは対照的に、足を組んで平然と座っているのである。そしてその後、ロシア当局自身が流した「犯人逮捕」の現場の動画のなかに、犯人を取り押さえている男たちが映っているのであるが、この男たちと会場にいた男たちとは、服装も・人相も・腕に付けている時計も、すべて同じなのである。

これらは、欧州の多くの映像分析の専門家が襲撃現場と逮捕の現場の画像を解析した結果、明らかになったことである。いま欧州では、この「メン・イン・ブルー」(「青い服の男たち」)と呼ばれる男たちこそが事件に深くかかわっていた当事者であり、今回の事件はFSBの自作自演の謀略にほかならないという見方が広く浸透しつつある。

しかもIS自身が公開した動画には武装グループが手にしている自動小銃が映っているのであるが、この「AK12」なる銃は軍や治安関係者以外には入手できない最新の武器なのだそうであって、このこともまた「FSB＝黒幕」を裏づけるひとつの〝証拠〟とみなされているのだ。

さらに、この事件の直前の三月二十一日と二十二日に、ロシアはウクライナにたいして空前の大規模攻撃を加えたのであった〔五六頁の「ウクライナ自由労組連合(KVPU)の3・22声明」を参照〕。このこ

とも決して偶然ではないにちがいない。

(4)

今回の銃乱射・大量殺傷事件がFSBのいわゆる「やらせ」もしくは自作自演であること、これを疑う者は世界のどこにもほとんどいない。

プーチン＝FSBの悪党どもがこうした謀略事件に打って出たのは、彼らが今、激しい焦燥感にさいなまれているからにほかならない。昨年夏以降の・ロシア占領軍の叩き出しを目標としたウクライナ側のいわゆる反転攻勢は欧米の「支援疲れ」などの様々の理由で首尾よくいかなかったにもかかわらず、またアメリカからのウクライナ支援が共和党・トランプ一派の横槍で暗礁に乗りあげているにもかかわらず、彼らは暗い近未来に脅えているのである。それはなぜか？

アメリカの支援打ち切りはかえってNATO諸国の「ウクライナ支援」での結束を生みだした。欧州の各国がウクライナとのあいだで個別に安全保障協

定を結ぶという動きも加速している。またフィンランドやスウェーデンのNATO入りによってロシアの飛び地＝カリーニングラードは孤立し、ロシアはバルト海の制海権を失ってしまった。二年前の侵攻前には予想だにしなかった事態の現出に見舞われているのが彼らロシア権力者であって、その最大の誤算はミサイルを雨アラレと撃ちこんでもウクライナ人民のレジスタンスが決して挫けないことなのだ。

そしてウクライナの軍と人民のレジスタンスは、弾薬不足の現在を耐え、やがて欧州各国から供与されるであろうF16戦闘機および防衛システムと自前の無人機をもって来年二〇二五年以降の大攻勢を準備しつつある。

まさにこうした現実を前にして、ロシア権力者どもは、いま二〇二二年十月に併合を宣言した四州を「ノボロシア」として固めなければ、すべては水泡に帰すことを恐れているのだ。すでにロシア軍の死傷者はこの二年間で三五万人に達している。にもかかわらず、彼らはいま五月以降の攻勢を計画し、そのために新たに一五万〜二〇万を動員しようとしているとされる。

だがプーチン政権がこれまでに動員してきたのは、少数民族や辺境の民族、ブリヤートなどのモンゴル系民族、それにチェチェンやダゲスタンなどのイスラム系民族であり、それらの人民のあいだではプーチン政権への怒りが高まっている。そして旧ソ連邦の構成国であったタジキスタンは、イスラムの国で中央アジア五ヵ国のなかで最貧国であり、人口一〇〇〇万人の二割ほどがロシアに出稼ぎに行っているという。このタジキスタンには、シリアやイラクにおいてアメリカを中心とする有志連合とロシアとによって攻撃されたISメンバーが多く流れこんでおり、ロシアでISに加わっているタジキスタン人も多いという。

ロシア国内のムスリムは「ルースキーミール」を標榜するプーチン＝FSB強権国家に刺さったトゲといえる。いまやこのムスリムのいわゆる「過激派」を根絶やしにすることは、プーチン政権にとって喫緊の課題であって、まさにこのこともプーチン政権がタジキスタンのISを操って今回の事件を演出したことのひとつの理由なのである。

だが、プーチン政権のどす黒い狙いの核心は、次のことにある。ロシアの権力者どもはいま、人民とりわけ都市の若者たちの不満の高まりに包囲されつつある。三月中旬のロシア大統領選ではプーチン政権は、票の入れ換え・操作やり放題の電子投票・そして銃を突きつけての投票の強制(四州の場合)などをもって、史上最高の投票率七四%・プーチンの得票率八七%を演出した。ロシアの大統領選挙とは皇帝プーチンに服従を誓う儀式にすぎないことがあらわとなった。だがまさにこうした茶番の演出は、かえって今後二〇三〇年まで続く「プーチン体制」への広汎な反感を呼び起こしつつあるのだ(ロシアのある政治学者によれば、プーチンへの実際の支持率は老人を中心に五〇%程度しかないとのことである)。

だが、プーチン政権がウクライナ侵略戦争をさらに続行しウクライナのロシアへの糾合というその野望を果たすためには、すでに一〇〇万人が国外に逃亡しているなかで、ウクライナ戦争にますます疑問を深めている都市の若者たちに「ウクライナへの憎しみ」をかきたてなければならない。まさにこのゆえに彼らは、今回の謀略事件を強行したのだ。

彼ら人非人どもは想起したにちがいない。今から二十二年前の二〇〇二年十月にモスクワのドブロフカ劇場で起きた大事件を。すなわち、ムスリム武装集団が劇場を占拠しロシア軍のチェチェンからの撤退を要求した、これにたいしてロシア政府の特殊部隊が毒ガスと銃で武装部隊と観客あわせて百数十人を殺害したあの事件を。

この事件によって、ＫＧＢの一介の小役人であったプーチンの支持率は、一挙に八三%にはねあがった。そしてプーチンを「強いロシアを象徴する大統領」に押しあげたのだ。

のちに、この襲撃にはロシア政府が関与していることを、独立系新聞「ノーヴァヤ・ガゼータ」の記者アンナ・ポリトコフスカヤが暴いた。しかし彼女は自宅で射殺され、同新聞社の社員計六人が殺害された。また事件の真相を知る元ＦＳＢ員リトビネンコがイギリスで謀殺された。

この事件こそは、まさにプーチンを表看板とした

ＦＳＢ強権型国家をうち固めるために、ＦＳＢが仕組み強行した一大謀略事件であったのだ。

今回の事件とこの二〇〇二年の事件とは、多くの共通点がある。両者が異なるのは、ロシアの人民は二十二年前には「強い指導者の登場」に歓喜したが、今ではプーチンのフェイクを信じる者は世界のどこにもいないこと、そしてロシアの人民の多くもまたプーチンのウソを見破っていることである。

謀略と暴力と嘘でいつまでも労働者・人民を支配できると思うのは、驕り高ぶった権力者どもの錯覚にすぎない。みずからの狂気に満ちた野望のためにロシアの人民を生け贄にしたことによって、ロシアの権力者どもは明らかに墓穴を掘った。彼らは今や、スターリン主義ソ連邦の時代の支配者どもの後塵を拝しつつあるのだ。

すべてのロシアの労働者・人民よ！　反人民性をむきだしにしたプーチン政権を今こそ打倒せよ！

われわれは、プーチンの暴虐に抗して不屈に闘うウクライナの労働者・人民とともに、プーチン政権にとどめを刺すために、さらに奮闘する決意である。

（二〇二四年三月三十一日）

ウクライナ自由労組連合（ＫＶＰＵ）の声明

ロシアがウクライナの住宅、職場、エネルギー、経済を破壊する大規模な攻撃を開始

二〇二四年三月二十二日

ロシアが今、住宅、生活・エネルギーインフラの大規模な破壊を引き起こし、経済と職場を意図的に破壊しています。ＩＴＵＣ（国際労働組合総連合）とＥＴＵＣ（欧州労働組合連盟）の関連組織であるウクラ

イナ自由労働組合連合は、国際労働組合コミュニティと民主主義諸国の政府にウクライナへの支援を強化するよう呼びかけます。

二〇二四年三月二十一日から二十二日にかけて、ロシア軍は、ウクライナの都市や町にたいしてエネルギーインフラを標的とした最大規模の攻撃をおこない、さらに多くのウクライナ領土を攻撃して占領する試みを続けています。

ロシア軍は二十一日夜、首都キーウなどの住宅街に向けてロケット弾三十一発を発射しました。専門家の推計によると、ロシアはこの大規模な攻撃に三億九〇〇〇万ドルを費やしました。同日、ロシア軍はハルキウの民間企業を攻撃し、男性三人と女性二人が死亡しました。

三月二十二日、ロシアはミサイルテロを継続し、エネルギー施設や都市の住宅地を標的に、六十機の無人機と九十発の各種ミサイルを発射しました。フメリニツィキー州、リヴィウ州、ハルキウ州、ザポリッジャ州、ドニプロペトロウシク州、ポルタヴァ州、イヴァノフランキウシク州、キロヴォフラード州、スーミ州、ヴィンニツァ州の少なくとも十地域で爆発音が聞こえました。ロシア軍は本日、ザポリッジャに十二発のミサイル攻撃をおこなっています。

このロシア軍の攻撃の結果、ウクライナ最大の水力発電所であるドニプロフスカ発電所が被害を受けました。さらに、午前五時十分に大規模なミサイル攻撃がおこなわれ、一時的に占拠されているザポリッジャ原子力発電所とウクライナの統一エネルギーシステムをつなぐＰＬ－７５０キロボルトドニプロフスカ外部架線が切断されました。現在、ザポリッジャ原子力発電所は送電線でウクライナの電力系統に接続されていますが、ここは先週、ロシアの砲撃を受けてウクライナのエネルギー作業員によって修理されたばかりです。

ロシアの行動により、ハルキウ、スーミ、リヴィウ、ドニプロ、クリヴィーリフ、ポルタヴァ、キロヴォフラード、オデーサなど、ウクライナのさまざまな都市や地域で停電、通信、給水の問題が発生しました。大工業都市ハルキウは今日、電力が供給されていません。これは、絶え間ない砲撃にさらされている労働者、入院患者、前線地域や集落からの避難者の命を危険にさらします。さらに、住民は銀行サービス、ATM、スーパーマーケット、薬局などにアクセスできません。

ウクライナ鉱山労働者独立労働組合によると、ドニプロペトロウシク州とドネツク州の鉱山企業の労働者一〇〇〇人以上が停電によって地下で危険にさらされています。現在、これらの鉱山労働者を地表に引き上げるための救助活動が進行中です。

さらに、ウクライナの鉄道のいくつかの区間が今日通電を停止し、十四本の列車が遅れました。この状況は、民間人の避難を妨げています。

われわれが強調したいのは、ロシアが職場の労働者を含む数々の民間人の死傷者をもたらしており、ウクライナの経済とエネルギー産業を日常的に激しく破壊していることです。ロシア軍は、犠牲者を助けるために砲撃現場に到着した救助隊員や医療従事者を標的にするという二重ミサイル攻撃の戦術を採用していることに注目してください。ロシア軍は国際人道法に違反して、作業中の医療従事者や救助隊員を殺害しているのです。

われわれは、国際民主主義社会にたいし、以下の訴えを提起します。

- ウクライナへの経済的・人道的支援を継続すること。
- ウクライナとその人民を防衛することを目的とした軍事援助物資の供給に貢献すること。
- ロシアのテロリスト政権にたいする制裁を強化すること。この措置は、進行中の血なまぐさい戦争を維持するために不可欠な財源と技術輸出を大幅に制限することができるからです。
- 凍結されたロシアの資産をウクライナ支援に向けることで、それを活用する可能性を確保すること。
- ロシアの政治家、公的人物、労働組合関係者を、独立した主権国家であるウクライナとその人民にたいするテロ活動に従事する国の代表として国際機関に参加することから隔離し、排除すること。

イスラエルのラファ総攻撃・飢餓強制を許すな

瀧川潤

イスラエルのネタニヤフ政権は、パレスチナのガザ全域から逃れてきた一五〇万人もの避難民たちがひしめく最南端の街ラファにたいして、いまにも大規模な地上部隊を突入させようとしている。イスラエル軍の空爆と封鎖によって食料や水を断たれ、着の身着のままで地獄のような生活を強いられているこのラファの人民にむかって、ネタニヤフとその軍隊は、大戦車部隊で襲いかかろうとしているのだ。われわれは、この新たな大殺戮を絶対に許してはならない！

イスラエル軍はいま、ガザ全域であらゆる食料と生活物資の補給・搬入ルートを遮断し、数多の人民に凄まじい飢餓を強制している。今このときにも子供や嬰児は栄養失調で次々と餓死に追いやられているのだ。

イスラエルが凶暴なガザ侵攻を開始してから半年のあいだに、すでに三万数千人を超えるパレスチナ人民が虐殺された。これこそは、パレスチナ自治区そのものを抹殺することを狙ったシオニストどもの世紀のジェノサイドいがいのなにものでもない。

血に飢えたシオニスト権力者によるガザ・パレスチナ人民へのジェノサイドを許すな！　ラファ総攻撃を絶対に阻止せよ！

〔二〇二四年四月一日にイスラエル軍が強行した在シリア・イラン大使館への空爆・革命防衛隊幹部の爆殺――この暴挙にたいしてイラン革命防衛隊は、四月十三日夜から十四日未明にかけて、イスラエル各地およびゴラン高原（イスラエル軍が占拠中）の軍事施設にたいして、多数のドローンとミサイルによる「報復」攻撃をおこなった。これにたいしてアメリカ・バイデン政権は、ただちにアメリカ中央軍にイスラエル軍と連携しての迎撃行動を命じた。そして「イスラエルの安全保障にたいするわれわれの支持は揺るがない。アメリカはイスラエルと共にある」と声明を発した。すでに対イランの臨戦態勢に入っていたネタニヤフ政権は、このアメリカやイギリスの軍事的支援を受けて、イランにたいする再度の攻撃を狙っている。イスラエルによる対イラン攻撃――中東全域への戦争拡大を許すな！（二〇二四年四月十四日）〕

極悪非道のガザ食料封鎖・病院攻撃を弾劾せよ！

四月一日にイスラエル軍は、キプロスから海路で運ばれた食料を搬送していた米欧のNGO「ワールド・セントラル・キッチン」の三台の車両をドローンで狙い撃ち、英・豪・ポーランドなどの国籍からなる七人の職員全員を虐殺した。

ネタニヤフとイスラエル軍は、外国の民間団体によるこうした支援活動をみずからの食料封鎖に風穴を開けるものとみなして憎悪し、それを潰すために意図的にこの攻撃を強行したのだ。この空爆によって、多くの民間ボランティア支援団体は食料・物資の支援活動の中止に追いこまれた。この攻撃を「誤爆だ」（ネタニヤフ）などと強弁するのは、米・欧権力者の非難をかわすための見え透いた嘘にほかならない。

　このかんネタニヤフ政権は、パレスチナ人民への食料・物資の支援を中心で担ってきたＵＮＲＷＡ(国連パレスチナ難民救済事業機関)を機能停止に追いこむためのあくどいキャンペーンを展開するとともに、ＵＮＲＷＡをはじめとする国連や民間の支援団体の施設を破壊し職員を虐殺するなどの蛮行をくりかえし、もって食料・物資の支援を徹底的に封殺してきた。このような残忍な食料封鎖によって、シオニストどもは、数多のガザ人民に集団的な餓死を強制しているのだ。

イスラエル軍の残虐な攻撃にさらされるラファ（５月６日）

　食料封鎖だけではない。イスラエル軍は、各地の病院が「ハマスの出撃拠点になっている」と喧伝してなんども攻撃をしかけて破壊し、医師や医療従事者や患者たち、家屋を壊されて病院に避難している住民たちまで皆殺しにしている。ガザ地区の半分以上の病院が破壊され、残された病院も電気や水を止められ薬品も払底して治療ができなくなっている。三月末にガザ地区最大のシファ病院に再度の総攻撃をしかけたイスラエル軍は、殺人鬼の素顔を剥きだしにして、「病院で二〇〇人のテロリストを殺害し、五〇〇人を拘束した」などというおぞましい〝戦果〟を発表した。シオニストどもは、医療拠点を徹底的に破壊しつくすことによって、空爆で負傷し病気や栄養失調で衰弱した人々を虐殺しているのだ。

　この狂信的シオニストどもは、ガザ地区のあらゆる住居や病院・学校、そしてライフラインを徹底的に破壊しつくし、街々を人の住めない廃墟にしてきた。そして、まさしく〝抵抗の根〟を絶つために、女性や子供を無差別に殺戮しているのだ。これこそは、パレスチナ自治区そのものを、とりわけハマスの拠点でありパレスチナ解放闘争の拠点であるガザ地区そのものを、この地上から抹殺するためのパレスチナ人民にたいする——ナチスの蛮行にも比肩すべき——〝民族絶滅〟の攻撃にほかならない。シオニスト国家によるこの極悪非道の大殺戮を絶対に許すな！

ネタニヤフによる対イランの戦争拡大を許すな

ネタニヤフ政権はまた、同じ四月一日に、在シリア・イラン大使館を空爆し、そこにいたイラン革命防衛隊の司令官など十三人を爆殺した。

イスラエル北部にたいしてロケット弾攻撃を敢行しているシーア派武装勢力・ヒズボラ、その軍事作戦をシリアにおいて指揮しているイラン革命防衛隊の幹部を狙って、イスラエル軍はこの攻撃を強行した。何よりもネタニヤフは、「パレスチナ絶滅」を戦略化しているネタニヤフを見限りつつあるバイデン政権を「イランからのイスラエル国家防衛」の土俵に引っぱりこむことを企んで、イランの「報復」を挑発しイスラエル—イランの軍事衝突の構図をあえてつくりだそうとしたのだ。そしてまた、国内で噴きあがる「ネタニヤフやめろ」の声を抑えこむことを狙って〝戦争拡大〟にうってでたのだ。

この政権はいま、イスラエル国内においては「反ネタニヤフ」のデモに震撼させられている。四月六日には、テルアビブやエルサレムなどで十数万人が「ネタニヤフ退陣」「総選挙実施」を求めて大規模なデモに起ちあがった。みずからの汚職事件で有罪判決が下されることを「戦時」を理由に封殺しているネタニヤフにとって、首相の座を追われることはただちに〝監獄入り〟を意味する。しかも、連立内閣を組む極右勢力からは「ラファ攻撃をやらないならばネタニヤフはいらない」と「連立離脱」（＝政権崩壊）の脅しを突きつけられてもいる。

またアメリカ・バイデン政権は、——「ネタニヤフの共犯者」というみずからへの批判をかわすために――ラファへの大規模攻撃を「自制」するように説得し、それを肯んじないネタニヤフを「彼は誤りを犯している」と公然と批判してみせた。アメリカ国内のユダヤ・ロビーの内部からも、そのトップである民主党上院院内総務シューマーを筆頭にして、「総選挙実施・政権交代」の要求が突きつけられた。

まさにこうした政権の危機をのりきるためにネタニヤフは、バイデンを黙らせ、また「挙国一致」の戦争遂行体制を引き締めることを企んで、イランとの「戦争的危機」をつくりだす挙にうってでたのである。

〝ハマス壊滅の代替案〟をおしだすバイデン政権

ＮＧＯにたいするイスラエル軍の空爆にたいして、四月四日にバイデンが電話でネタニヤフに釘を刺した、とアメリカ政府は発表した。――食料支援従事者の安全確保、民間人への危害回避、人道状況の悪化への対応などの措置をとらなければ「政策の変更を検討する」、と。

こうしたバイデンのネタニヤフにたいする〝制動〟は、みずからの大統領選挙にむけての政治的自己保身いがいのなにものでもない。

いまや世界から「ジェノサイド」という非難を浴びているネタニヤフ政権のガザ攻撃を頑強に支持し支援することによって、アメリカ自身が世界の孤児となっている。そしてまた民主党のなかからもリベラル派やアラブ系移民などのマイノリティの反発がつのっている。この民主党支持基盤の崩落がつづくかぎり今秋の大統領選挙でトランプに敗北しかねない状況に追いこまれている。まさにそれゆえにバイデンは、失った民主党リベラルや青年層、アラブ系移民などの票をつなぎとめるために、一転して「人道的配慮」をネタニヤフに要請するとともに、ネタニヤフの政敵たるガンツ(元国防相)をワシントンに呼びつけて〝ポスト・ネタニヤフ〟にむけての工作を開始しているのだ。

もちろんこのことは、極右シオニストどもから成るネタニヤフ政権が、バイデンが願望している「パレスチナ問題解決」の枠組みを完全に逸脱して突進しはじめたことを根因にしている。

「パレスチナ人を追放せよ」とか「ユダヤ人だけの国をつくる」とかと公言している狂信的シオニストども（「ユダヤの力」や「宗教シオニズム」の指導者）を主要閣僚としてとりこんだネタニヤフ連立政権は、「ハマスの根絶」だけでなくイスラエル政府・軍によるガザ地区の軍事占領・管理を、まさしく自治区としてのガザの抹殺を、明確な政治的・軍事的目標として掲げて侵攻をつづけている。これにたいしてバイデン民主党政権は、――トランプ前政権とは異なって――なお「二国家解決」方式（パレスチナ国家の独立を認めてイスラエルとパレスチナの二つの国家の併存を促す、という「解決」方式）を護持している。そのばあいにバイデンは、ハマスが実質上統治しているガザ地区にかんしては、ハマスを「壊滅」させたうえで・その統治をアッバス（ファタハ）を首班とする――アメリカの紐つきの――パレスチナ自治政府に担わせることを願望している。〝アラブ諸国とイスラエルとの平和的共存〟によって対イラン包囲網を形成していくという中東政策を貫徹するために、こうした「解決」方式を追い求めているのがバイデン政権であり、そのために彼らは、ネタニヤフの〝ガザ抹殺〟にむけての突進に制動をかけようとしているのである。

けれどもこの政権はもとより、中東におけるアメリカの権益を守るために、「中東唯一の同盟国」たるイスラエル国家を死守することを対中東政策の基軸としつづけている。いわんやイランを後ろ盾にして、レバノンのヒズボラ、イエメンのフーシなどが「抵抗の枢軸」を形成し、「反米・反イスラエル」の闘争を激しく展開している――しかもイランはロシアや中国と連携している――なかにおいて、アメリカ帝国主義権力者はあくまでもイスラエルを中東における〝最後の砦〟として守りつづけようとしているのだ。

現にいまバイデン政権は、「アメリカは軍事援助をやめよ」という世界やアメリカ国内の労働者・人民の抗議や、アラブ諸国・グローバルサウス諸国権力者・人民の声を蹴とばしながら、イスラエルへの莫大な軍事援助を続行している。ネタニヤフに「自制」を求めるその裏側では、F15を五十機、F35を二十五機などの大規模な軍事支援を次々に決定し実行しているのだ。

イスラエル軍のイラン大使館空爆事件をめぐっても、イランが国連緊急安保理事会で「国際法違反」と非難したのにたいして、アメリカ政府は「イランはヒズボラやフーシへの支援をやめるべきだ」と反論した。そしてイランの報復攻撃が迫っているとみるや、バイデンを先頭にして、――まさにネタニヤフの思惑どおりに――「イランの脅威とたたかうイスラエルを支持する政策に揺るぎはない」となんども表明しているのだ。

ラファへの地上攻撃についてバイデン政権は、「ハマス壊滅」という目的を〝共有〟したうえで、もっと効果的に作戦を実行するための「代替案」なるものをネタニヤフに提示している。――ハマスの指導部・戦闘員に標的を絞った壊滅作戦を遂行せよ、民間人の被害をできるだけ少なくするかたちで作戦をおこなえ、と。

あくまでも、ハマスとそれを支持するパレスチナ人を「テロリスト」とみたてて皆殺しにするという作戦目標に変わりはない。それをもっと効率よく国際的非難が沸き起こらないようなかたちでうまくやれ、ということなのだ。

ネタニヤフは、このバイデンの要請に〝配慮〟したかたちをとるために、南部の大都市ハンユニスから地上軍部隊を撤収させた(四月七日)。ラファ総攻撃にむけた軍の態勢を立て直すためだ。ネタニヤフは、バイデンの〝忠告〟を適当に受け流しながら、ラファ攻撃への態勢を日々固めているのである。

「二国家共存」を公然と踏みにじるネタニヤフを統御できずとも、「イスラエル国家の安全保障」のためには絶対に軍事支援をつづけなければならない、というバイデンの足元を見透かしながら、ネタニヤフはいま、「世界の誰もわれわれを止めることはできない」と傲然と叫びたて、ラファ総攻撃にむけて突きすすんでいるのだ。「同盟国」たるイスラエルをまったく統御することもできないこのバイデン政権の姿こそ、軍国主義帝国アメリカの没落・その力の衰退を象徴するものにほかならない。

〝民族絶滅〟のためのラファ総攻撃を阻止せよ

「人道的配慮」を口先で唱えつつも「ハマス壊滅」という名の皆殺し作戦を擁護し支援している米・欧・日の権力者ども——この共犯者どもに支えられて、極右シオニスト・ネタニヤフ政権は、いまラファ総攻撃という大殺戮に手を染めようとしている。

ネタニヤフ政権の戦略的目的は、パレスチナ人を大量に殺戮するとともにイスラエルの領地とみたてたパレスチナの地から彼らを放逐し、もって「ユダヤ人の国」=シオニズム国家を構築し完成させることにほかならない。

アメリカの力の衰退が極まり、イランとシーア派枢軸を除くその他のアラブ諸国が「反イスラエル」の結束を弱めている今が好機である、とシオニストどもは焦っているのだ。アラブ人の土地に無理やりでっちあげたイスラエル国家、その存立と安全を〝確固〟たらしめるために、パレスチナ人民にたいする〝民族浄化（エスニック・クレンジング）〟とも呼ぶべきジェノサイドに猛り狂っているのが、シオニズムの狂気にとりつかれたイスラエル権力者どもなのだ。

この凶暴な殺戮攻撃にたいして、ハマスをはじめとするムスリム戦士たちは、怒れる民衆と一体となってみずからの組織を防衛しつつ徹底抗戦している。ハマスによる10・7越境武装闘争こそは、二〇〇七年いこうにイスラエルによって「天井のない牢獄」に閉じこめられ、同胞や家族を殺され貧困と飢餓を強制されてきたガザ人民の積もり積もった怒りと憎悪の炸裂にほかならない。この決死の抵抗闘争に逆上したシオニスト権力者どもによる残忍きわまりないジェノサイドに、パレスチナ・ガザ人民の憤激と憎悪はいや増しに燃えあがっている。この怒りの炎のなかには、かの「ナクバ（大災厄）」――アメリカ帝国主義とスターリン主義・ソ連邦の結託によるイスラエルの建国（一九四八年）――いらい七十数年にわたって故郷を奪われ徹底的に抑圧されてきたパレスチナ民衆の世代を超えた憤怒と怨念、そのすべてが刻まれ包みこまれているのだ。そしていま、全世界のムスリム人民は、このシオニストどもによる大殺戮にたいする抗議闘争に陸続と起ちあがっている。

われわれは、全世界のムスリム人民に、とりわけアラブの労働者・人民にむかって呼びかける。「パレスチナ支援」を口先で唱えながらイスラエルとの〝協商〟の機会をうかがっているサウジアラビアやエジプトなどの腐敗したアラブ権力者どもを弾劾せよ！　いまこそイスラミック・インターナショナリズムにもとづいて、反シオニズム・反米の闘争に決起せよ！

そしてわれわれは、イスラエルの労働者・人民に呼びかける。戦争狂のネタニヤフ政権を打ち倒せ！

われわれは、日本の地において、ロシアのウクライナ侵略反対の反戦闘争とともに、イスラエルによるパレスチナ人民ジェノサイド阻止の闘いを、さらにいっそう強力につくりだすのでなければならない。

血に飢えたシオニスト権力による世紀の大殺戮を絶対に許すな！

（二〇二四年四月十三日）

ＮＴＴ法廃止――最先端通信技術の軍事利用への突進

畠山刈太

米バイデン政権につき従って日本国家をアメリカとともに戦争をなしうる軍事強国へと飛躍させるために、軍備大増強・軍需生産の拡大に突進する岸田政権。この政権は「防衛力そのものとしての防衛生産・技術基盤」と称して、軍需産業の振興をはかると同時に、一九八五年の旧電電公社の民営化のために制定した「ＮＴＴ法」を廃止し、情報通信企業であるＮＴＴとその最先端技術を対中国の戦争を遂行する軍事体制の構築に動員し活用しようとしている。

「ＩＯＷＮ」開発の国家プロジェクト化

岸田政権は二〇二四年三月一日に「ＮＴＴ法改正案」を閣議決定し、今通常国会でこれを可決成立させようとしている（四月十七日に参院で可決成立）。

この法案の第一の柱は、一九八五年の旧電電公社の民営化時に制定された「ＮＴＴ法」において、現在のＮＴＴに課している「研究開発の成果の普及義務」を撤廃することである。第二の柱は、同じく現在禁じられている外国人役員の経営参加を全体の三分の一未満まで認めることである。

そして第三の柱は、改正案の「付則」において、「ＮＴＴ法」そのもののあり方については「廃止を含め検討」する、と明記したことである。

岸田政権は、「ＮＴＴ法」がＮＴＴおよび東西地域会社に課している固定電話の全国一律のユニバーサルサービスとしての提供義務を解除しようとしているのであるが、これについては、ＮＴＴの競争相手であるＫＤＤＩ・ソフトバンクなどの通信各社経営陣と自民党の一部議員が強固に反対しているがゆえに、次期通常国会以降に先送りした。

今回の「ＮＴＴ法改正案」のベースとなっているのが、自民党政務調査会の「ＮＴＴ法等の法律の在り方に関する提言」（昨二三年十二月）である。これを主導したのが、自民党内においてＩＣＴ戦略と経済安保を担当してきた元幹事長の甘利明である。甘利は、日本が世界におくれをとったＩＣＴ産業分野において日本の存在感を高めるために、起死回生の一手としてＮＴＴが開発しているネットワークから端末まで光技術を活用した「省エネ、高速、低遅延」の〝世界先端次世代通信システム〟「ＩＯＷＮ（アイオン）」（註1）に目をつけた。この通信基盤の要が光電融合（註2）の最先端半導体開発である。同時に防衛省も、対中国先制攻撃の軍事体制構築に不可欠なものとしてこの最新通信技術の利用にのりだしたのである。

甘利は、「ＩＯＷＮ」開発を国家プロジェクトとして推進するために、「ＮＴＴ法」の技術公開の義務が足かせになると考え、自民党内の反対を押さえて「ＮＴＴ法」そのものの廃止を含めた改正方針を「提言」としてまとめあげたのである。

政府の庇護のもとにＮＴＴをＧＡＦＡＭと並ぶ世界的ＩＣＴ企業へと飛躍させる野望を抱くＮＴＴ経営陣も、「ＮＴＴ法廃止」に向けて、元首相秘書官である副社長・柳瀬唯夫（経済安全保障担当）が甘利と連携して自民党議員への根回しをおこなってきた。研究成果の普及義務は他国の企業との共同開発を阻害するとともに、携帯電話や衛星通信などの通信技術が発展するなかでNTTだけが固定電話の「あまねく提供義務」を負うのは不公平だというわけである。法案が閣議決定されたいま、NTT会長・澤田純は「NTT法の廃止はチャンス」「産業のイニシアチブを取り、IOWNと光電融合でゲームチェンジを起こす」と息巻いている。

NTTを対中国軍事包囲網づくりに動員

①岸田政権がNTT法の改正・廃止を急ぐのは、NTTが開発する最先端情報通信技術を、対中国先制攻撃の軍事体制構築に動員するためにほかならない。

二〇二二年、岸田政権は「安保三文書」という軍事戦略文書を閣議決定した。岸田は、「反撃能力を保有する」という名において敵基地先制攻撃体制を構築することを軍事戦略の柱とした。これにもとづいて岸田政権は、米バイデン政権が全世界的な規模でおしすすめる米軍の「IAMD（統合防空ミサイル防衛）」の指揮統制体系に日本国軍をまるごとくみこみ、日本国軍をアメリカとの統合軍の一翼を担う戦闘部隊として強化している。米日両政府は、軍事衛星網で中国軍を監視し、ミサイル基地や軍事中枢に先制的攻撃を加える軍事システムを構築しようとしている。そのために日本政府は巡航ミサイル「トマホーク」を輸入するとともに、射程一〇〇〇キロメートルの長射程ミサイルの研究開発を急ピッチですすめている。

現代戦争は宇宙・サイバー・AI・量子暗号通信・半導体などの軍民両用の最先端技術を駆使した戦いである。こうした現代戦にとっては高度な通信機能が不可欠であり、防衛省は磁気妨害に強く宇宙通信システムと結びつく強固な軍事通信システムを欲している。そのためにNTTが開発中の次世代通信システム「IOWN」を、ミサイルによる敵基地先制攻撃などに活用しようとしている。また無人機などの大規模展開や、電磁波・サイバー防衛などにも利用しようとしているのである。

②岸田政権は昨年六月に、「軍需産業基盤強化法」を成立させた。こんにち習近平政権が「軍民融合」の名のもとに先端半導体などの技術を軍事転用して大軍拡に突進している。これにたいして岸田政権は、米バイデン政権と連携し協力して宇宙・サイバー・ＡＩ・量子暗号通信・半導体などの軍民両用の最先端技術をめぐる中国との熾烈な争闘にうちかつために、国家（ＮＳＣ）主導で三菱重工・ＩＨＩ・三菱電機などの軍需企業とともにＮＴＴのような情報通信企業、さらに大学・研究機関・マスコミを総動員しているのである。

二月十九日に、防衛省は「防衛力の抜本的強化に関する有識者会議」を開催した。この「有識者会議」は「国家安全保障戦略」の閣議決定にもとづいてもうけられたものである。座長は元経団連会長・榊原定征がつとめ、軍需企業・三菱重工会長の宮永俊一と並んでＮＴＴ会長・澤田がそのメンバーとして名を連ねているのである。「有識者会議」は、物価高騰や円安を理由に「国家安全保障戦略」に掲げた二三年〜二七年の軍事予算四三兆円をさらに増額することを政府にたいして提言した。今後、軍民両用技術の開発推進や「能動的サイバー防衛」（サイバー攻撃のこと）の導入を助言するとされている。まさにＮＴＴ経営陣は、〝死の商人〟として名乗りをあげたのだ。

③昨年六月、岸田政権の財政支援のもとにＮＴＴは、光電融合デバイスや光半導体の開発・製造・販売を担う新会社をたちあげた。ＮＴＴはこの最新半導体を、米インテルと韓国ＳＫハイニックスとの日・米・韓連合で開発しようとしている。

半導体は「産業のコメ」といわれてきた。とりわけ先端半導体はデジタル兵器を駆使する現代戦争になくてはならないもので「ミサイルの魂」ともいわれている。一国の軍事力を左右する先端半導体製造では台湾のＴＳＭＣ、韓国サムスン電子、米国インテルが世界を圧倒し、中国も先端半導体の国産化や光電融合技術の研究開発を加速させている。これに比して日本企業は、半導体製造の材料や半導体製造機器の一部で優位性を保っているにすぎない。

アメリカ・バイデン政権は今、中国を締めあげつつ、日・米・韓・台を中心とする半導体「グローバル・サプライチェーン」を構築することを喫緊の課題としている。このバイデン政権の要請に応えると同時に、日本における半導体産業の再興のために、岸田政権は、「台湾有事」を想定して台湾のTSMCを熊本に誘致し、最先端半導体の国産化をめざして設立したラピダス、メモリー半導体のキオクシアなどに膨大な補助金を投入している。そして、この岸田政権が起死回生の一手としているのがNTTの光電融合半導体の開発なのである。〔政府は二四年一月に、IOWNの開発のために約四五〇億円を援助すると決定した。〕

しかし「NTT法」による研究成果の「普及義務」が、NTTがインテル・SKハイニックスと共同で開発するにあたって最大の足かせとなっている。しかも先端半導体の開発には莫大な資金を要するのであって、「NTT法」によるユニバーサルサービスの責務はNTTにとって財政的な重石となる。このゆえに岸田政権が主導し、NTT経営陣がこれに呼応して、「NTT法廃止」に突きすすんでいるのだ。

「経済安保」の名のもとに労働者の監視を強化

岸田政権は今回の「NTT法改正案」の閣議決定に先んじて、二月二十七日に「重要経済安保情報の保護及び活用に関する法律案」なるものを閣議決定した。これは米バイデン政権の要請に応えたものにほかならない。もはや単独では中国に対抗できない没落帝国主義のバイデン政権は、中国に対抗して軍民両用先端技術をあくまでも日・米・韓・台共同で開発・製造しようとしている。バイデン政権は、とりわけ「属国」日本を抱きこみ最大限活用するために、昨年五月の日米首脳会談において「属国」の宰相・岸田文雄に経済安全保障・技術開発分野で協力することを誓わせたのである。

岸田政権が策定した〝経済の秘密保護法〟と言わ

れるこの法案は、「セキュリティ・クリアランス」（SC＝適性評価）制度を拡大し、半導体やAI・宇宙などの最先端技術開発に携わる研究者や労働者への監視を飛躍的に強化するものである。法案では、これらの情報を漏えいした者に禁固刑・罰金を科している。当然にも開発・研究にかかわるNTT労働者もこの制度の対象者とされるのだ。政府はSC対象者にたいして、親族の生年月日や国籍、飲酒の節度から借金などの経済状態などまでこと細かく詳しく調査するのだ。NTTのような情報通信産業、ICT産業、半導体や製造装置・素材生産の産業、軍需産業で働く多くの労働者が、岸田政権・NSCの厳しい監視のもとで、対中国の軍事体制構築に動員されるのだ。

だがNTT労組本部は、「NTT法等の在り方はICT分野の成長・発展および社会・経済的課題に資する必要がある」「研究開発の推進・普及義務は経済安全保障上、課題がある」などとNTT法の見直しに基本的に賛成し、NTT経営陣を尻押ししているのだ。許しがたいではないか。

裏金問題でガタガタの岸田政権、「GAFAMの予備校」と揶揄されるまで落ちぶれたNTTグループの再編を主導してきた澤田会長―島田社長体制、両者にとっての生き残り策が「NTT法」による規制の撤廃にほかならない。岸田政権・NTT経営陣による労働者への犠牲の強制を断固許してはならない！

（二〇二四年四月一日）

註1　その通信ネットワークとしての特性は、「省エネ（電力効率一〇〇倍）、高速（伝送容量一二五倍）、低遅延（遅延時間二〇〇分の一）」にあると、NTT経営陣は豪語している。

註2　光電融合技術とは、光信号を電気信号に変換することなく、最適処理する先端的通信技術。電力消費量を減らし、最終的には一〇〇分の一にする構想。サーバーや自動車への用途も構想している。

〔本誌掲載の関連論文〕

・〝米中半導体戦争〟と台湾クライシスの切迫　深水　新平　（第三二七号）

・ドコモ完全子会社化にふみだしたNTT　月形　真生　（第三一一号）

次期戦闘機の日英伊共同開発・輸出反対！

二〇二四年三月二十六日、岸田政権はイギリス、イタリアと共同開発中の次期戦闘機の「第三国」への輸出を解禁する閣議決定を強行した。次期戦闘機をアジア太平洋のパートナー国（オーストラリア・フィリピンなど）に輸出する途を開くために岸田政権は、殺戮兵器いがいのなにものでもない戦闘機の輸出を閣議決定のみで解禁にしたのだ。

日本、イギリス、イタリアの三ヵ国政府は「グローバル戦闘航空プログラム（GCAP）」と命名された計画にもとづいて次期戦闘機の共同開発をおしすめている。「第六世代」といわれる次期戦闘機は、ステルス性能を備え、AI（人工知能）を搭載し・無人機と連携した攻撃を担う性能をもつという（二六年に試作機を製造し、三五年の配備をめざしている）。

日英伊三ヵ国は、次期戦闘機の開発企業との契約や輸出管理を担う政府間機関「GIGO」を今秋に設置し、本部をイギリスに置く予定だ。

共同開発国いがいの第三国に輸出することをなお解禁していなかった岸田政権にたいして、イギリスとイタリアの両国政府は、昨年十二月に英国防相が、今年二月には伊首相がそれぞれ訪日し、第三国への輸出解禁を迫っていた。一機あたりの開発・生産コストを下げることを直接の理由にして。これを岸田政権は〝外圧〟として利用し、次期戦闘機の輸出解禁に踏みきったのだ。

地対空ミサイル「パトリオット」の「ライセンス生産品」のアメリカへの輸出解禁につづく次期戦闘機の「第三国」への輸出解禁を突破口として、岸田政権は国産兵器の輸出に全面的にのりだそうとしているのだ。そうすることによって日本の軍需生産を拡大し、もって日本を、アメリカの兵器生産を補完する〝兵器製造工場〟たらしめることを企んでいるのだ。「アメリカの強力なグローバル・パートナー」を自任する首相・岸田文雄は、「アジア版NATO」というべき対中国の多国間軍事同盟を構築するというアメリカ帝国主義権力者との戦略的合意にもとづいて、次期戦闘機をフィリピンやオーストラリアなどの対中国軍事包囲網を担う諸国に輸出することを企んでいるのである。〔イギリスやイタリアは、NATO加盟の欧州諸国などを輸出先とすることを構想している。〕

米―中激突下のこんにち、ロシアのウクライナ侵略、北朝鮮のロシアと結託しての核・ミサイル開発、中国の南シナ海・台湾への軍事的威嚇行動が強行されている。米・日・韓と中・露・北朝鮮の軍事的角逐が激化し、台湾や朝鮮半島を焦点として戦争勃発の危機が高まっているのだ。

このなかで没落軍国主義帝国アメリカは、兵器生産・開発能力を急速に衰退させつつある。それゆえに、同盟国・パートナー国の軍事力・経済力・技術力を最大限に動員するという「統合抑止」戦略にのっとって、兵器の開発・生産と同盟国・パートナー国への兵器供給の一端を日本に担わせようとしているのだ。

GCAP発表当日（二二年十二月九日）に日米両政府がおこなった「次期戦闘機に係る協力に関する防衛省と米国防総省による共同発表」においてバイデン政権は、次期戦闘機の日英伊三ヵ国共同開発を「支持する」と表明した。そして次期戦闘機と連動させて運用する無人機および無人機を活用した「戦闘システム」の開発を、日本と連携しておこなうことを宣言した〔さらに米日両政府は、次期戦闘機の操縦士を育成するための練習機の共同開発を合意した〕。

バイデン政権は、巨額の費用（六兆円以上！）を要する次期有人戦闘機の開発・生産には加わらず、日英伊にそれを担わせている。そして次期戦闘機と連動する無人機および「戦闘システム」を米・日が共同開発することによって、有人機と無人機が連携する〝近い将来の戦闘システム〟の核心部分に必要な技術を日本から獲得するだけでなく、次期戦闘機を導入する同盟諸国の〝航空作戦〟全体を統括することを企んでいるのだ。

軍需産業の強化・育成に狂奔する岸田政権

これにたいして岸田政権は、「グローバル・パートナー」という名の「属国」としてバイデン政権の要求に積極的に応え、みずからを軍事強国へと飛躍させようとしている。

「防衛生産・技術基盤は、防衛力そのものと位置付けられる」と謳う「国家安全保障戦略」(二二年十二月)にもとづき、軍需産業を政府が全面的に支援するために「防衛生産基盤強化法」という名の軍需産業強化法を制定した(二三年六月)。五年間で四三兆円もの軍事費を確保することを謳った軍拡財源法と一体にである。

次期戦闘機の開発・生産を担う日本の主な企業は、三菱重工業(機体統括)、IHI(エンジン)、三菱電機(電子機器)という名だたる軍需独占体である。[イギリスからはBAEシステムズ、ロールス・ロイス、レオナルド英国法人が、イタリアからはレオナルド、アビオが参加する。]これらの軍需独占体のもとに下請け企業約三〇〇〇社が開発・生産にかかわるといわれている。これによって日本の軍需産業をさらに強化・育成していくことを目論んでいるのが日本政府・独占ブルジョアジーだ。

彼らは次期戦闘機開発をつうじて、軍民両用技術でもある半導体やAIなどの先端技術開発分野において日本が国際競争にたち遅れている現状を突破しようとしている。まさしく、日本経済再建の方途を軍需産業および「軍民両用技術」関連産業の育成・強化に、すなわち経済の軍事化に求めているのが岸田政権・独占資本家どもなのだ。

彼らは軍需産業を強化するために、アメリカ並みの「セキュリティ・クリアランス」制度の導入を迫るバイデン政権に応えて「重要経済安保情報保護法」という名の経済安保秘密保護法を制定することを策している。これはネオ・ファシズム支配体制をいっそう強化する攻撃にほかならない。

一機二〇〇〜三〇〇億円になるともいわれる次期戦闘機の研究開発費に日本政府は、すでに五三四三億円もの〝血税〟を投入している(二〇〜二三年度)。岸田政権は今後の予算として〝三ヵ国は一ヵ国あたり年一〇〇〇億円程度を予定している〃という。だが次期戦闘機は「史上最も高価な戦闘機」とされるアメリカのF35よりも高性能を目指すといわれているのであって、F35の開発費六・一兆円より次期戦闘機のそれが高額になることは明らかだ。次期戦闘機の開発・生産に費やす莫大な軍事費を岸田政権は、「防衛増税」という名の大衆収奪の強化と社会保障費の削減によってまかなおうとしている。断じて許すな！

次期戦闘機の輸出解禁弾劾！　殺戮兵器の輸出拡大を許すな！　岸田政権による大軍拡を打ち砕け！「防衛増税」という名の大衆収奪の強化反対！　日米グローバル同盟の強化反対！　アジア版NATOの構築を許すな！

K・G

経済安保秘密保護法の制定を阻止せよ！

岸田政権はいま、「重要経済安保情報保護・活用法」（別名「セキュリティ・クリアランス法」）という名の経済安保秘密保護法の今国会での制定に猪突猛進している。政府が二月末に国会上程した法案には、「我が国の安全保障を確保するために特に秘匿することが必要」な経済情報をあつかう民間企業や大学などの研究者や技術者にたいして、政府機関が身上・思想状況を調査・審査し「適性評価」を与えること、「重要情報」を漏らした者には罰則（五年以下の拘禁刑）を科すことが盛りこまれている。〔本法案は、五月十日に参院本会議において可決・成立させられた。〕

この法案の国会上程と同時に岸田政権は、最高刑が拘禁刑十年の特定秘密保護法の対象に「経済安保」を加える「運用基準」改定方針を決めた。これによって経済安保「重要情報」を漏らした者への最高刑は十年の拘禁刑となるのだ。

「特に秘匿することが必要な重要経済情報」とは何かについて、法案には何も具体的規定がない。岸田政権は「何も決まっていない」(担当相・高市早苗)の一点張りだ。この法律を制定した後に政府――内閣官房・安全保障会議(ＮＳＣ)――がすべてを決めるということなのだ。岸田政権はこの法律を、国会での承認を得ることなく政府が法律を制定できるとしたナチスの「全権委任法」と同断の手法で制定しようとしているのだ。

「重要情報」の「指定範囲」について、この政権がわずかに示している具体例は「サイバー脅威・対策等の情報」「サプライチェーンの脆弱性関連の情報」だ。また対象となるのは「政府保有情報」だけでなく「今後、政府保有になる情報も含める」と岸田は公言している。これらのことからして明らかに、いわゆる「軍民両用」技術や「戦略的重要性」をもつ先端技術・物資――サイバー防衛＝攻撃の技術や次世代通信技術、宇宙、ＡＩ、先端半導体、電池、量子技術・重要物資など――にかんする「情報」のすべてを、政府は「重要経済安保情報」に指定することを企んでいるのである。

また、「重要情報」をあつかう者の「適性評価」にかんしては、資格申請者とその家族や同居人にたいして犯罪歴、薬物、借金の有無など七項目にわたって調査し、評価するとされている。岸田政権は、みずから恣意的に「重要情報」を指定し、これをあつかう労働者・人民のなかから〝反国家分子〟を摘発し・排除し・弾圧する体制を構築しようとしているのだ。

いま岸田政権は「軍民両用」技術を開発するために防衛省が日本版「ＤＡＲＰＡ」(『解放』第二八一一号三面参照)をつくりだし、それを頂点とする自衛隊・大学・研究機関・企業一体の研究・開発体制の構築にのりだしている。さらには日・英・伊の次世代戦闘機の共同開発にふみだし、それを促進するためにも防衛移転三原則の「運用指針の見直し」――戦闘機などの輸出を解禁にするそれ――を閣議決定した。日本国軍を飛躍的に強化するとともに、「防衛産業は防衛力そのもの」だとほざきながら日本の軍需産業の育成・強化に突進しているのが岸田政権だ。

同時にこの政権は、「能動的サイバー防御」という名の対中国〝サイバー戦〟をアメリカとともにたたかえる体制づくりに突進している（『解放』第二八〇八号六面参照）。そして中国を排除した先端半導体サプライチェーンの構築に、すなわち先端技術における対中包囲網の構築にも狂奔している。

まさしく岸田政権は、アメリカとともに対中国の戦争を、そして対中国の〝サイバー戦争〟や経済・先端技術封じこめをアメリカとともに遂行できる国家へと日本を改造することに狂奔しているのだ。そのためにこそこの政権は、「サイバー防御」や「軍民両用」の先端技術開発などを実際に担う民間技術者が敵国・中国に絶対に「重要情報」を漏らさないようにする制度の構築を急いでいるのである。アメリカで実施されているセキュリティ・クリアランス制度および情報漏洩にたいする罰則規定を手本として経済安保秘密保護法案を策定し、それの今国会中の可決＝制定に突進しているのだ。

アメリカと一体の防諜体制の構築

岸田政権は民間人を対象とする「秘密保護」制度を、国家安全保障会議の事務局である国家安全保障局（NSS）が、その「中心的役割」を担うかたちで構築しようとしている。

法案においては、それぞれの情報を所管する省庁の大臣を意味する「行政機関の長」が機密指定・解除の権限をもつとされ、「適性評価」の調査や認定については この「行政機関の長」に加えて「警視総監又は道府県警本部長」がおこなうと記されている。政府の有識者会議は、政府内に調査をおこなう専門機関を新たに設置し、そこで調査を一元的におこなうべきだ、とうちだしている。彼らは、公安警察を中心としたNSCの直轄機関を構想しているにちがいない。そして各省庁などが収集した膨大な個人データをすべてこの機関に集積し保存すべきだと主張しているのだ。これは、米国防総省内に資格調査のための専門機関を設置（二〇一九年）したアメリカを手本にしている。岸田政権はNSC・NSSの直轄下に、人民監視のための一大機関をつくり、統一した調査・審査体制をもつ資格制度としてつくりあげようとしているのだ。

アメリカでは、「国防」の観点からあらゆる情報を機密指定し、罰則を最高拘禁刑十年としている。岸田政権は、このアメリカと同様の罰則規定を設けることで、アメリカと機密性の高い情報を共有し、もって中国との戦争に備えた日本の防諜体制をアメリカと一体のものとしてつくりあげようとしているのだ。

岸田政権は、このセキュリティ・クリアランス制度の確立をとおして内閣官房・NSSを強化・拡大し、戦争司令部NSCを頂点とする日本型ネオ・ファシズム支配体制の強権的強化を策している。それは、労働者・人民への監視・弾圧の一層の強化にほかならないのだ。

このかんバイデン政権は、いまだにセキュリティ・クリアランス制度をつくっていない岸田政権の情報管理の手ぬるさに苛立ち、対策を要求してきた。これに積極的にこたえているのが、G7諸国のなかで唯一この制度をもたない日本の岸田政権だ。日本の防衛省や内閣のサイバーセキュリティーセンターが中国政府系ハッカーからサイバー攻撃をやすやすとうけたことが、アメリカの報道機関によって暴露された。岸田政権はこうした〝穴だらけ〟の現状を一気に打開することをテコにして、ファイブ・アイズ（アメリカを中心にしたアングロ・サクソン五ヵ国の諜報網）への参加を狙っているのだ。

「連合」芳野指導部はこの経済安保秘密保護法について、経団連に唱和していち早く制定容認を表明した。岸田自民党政権は、「連合」指導部のこの大犯罪に助けられて、アメリカとともに対中国戦争をたたかえる国家へと日本を改造するための、そして人民監視・弾圧体制を一挙的に強化するための経済安保秘密保護法の制定を、いま強行しようとしているのだ。

経済安保秘密保護法の制定阻止！　新型戦闘機をはじめとする武器輸出反対！　われわれは、いまこそ〈反安保・反ファシズム〉の旗幟を鮮明にしてたたかうのでなければならない。

K・M

闘うウクライナ人民と連帯して　その4

新たな仲間たちとの出会い

――ウクライナ・レフトとの交流――

沢田今日子

2・11労働者怒りの総決起集会に結集されたすべての皆さん。私は革共同革マル派を代表して、ロシアのプーチン政権によるウクライナ侵略を打ち砕く闘いを、そしてイスラエルのネタニヤフ政権によるパレスチナ人民の大虐殺を阻止する闘いを、今春闘のただなかでおしすすめることを呼びかけたいと思います。

私は昨二〇二三年、労働者の先輩や全学連OBの仲間たちとともにヨーロッパの諸都市において、ロシアのウクライナ侵略を打ち砕くために闘いつづけているウクライナの左翼の人々に会ってきました。

私たちは、昨年夏の国際反戦集会にウクライナからメッセージを受け取りました。そこには、彼らのあふれる思いが綴られていました。「大切な仲間が亡くなってしまった」「プーチンは限度を知らない」「あなたたちは日本の地で、あなたたちの闘いを続けてください」……。この言葉をきいて、私たちは、ウクライナの左翼の人々に会いに行こうと決断したのです。プーチンがウクライナ侵略を開始した二〇二二年二月二十四日以降、私たちは文書やメールのやりとりなど、様ざまな機会をつうじて彼らとの交流を続けてきてはいましたが、今こそ膝を交えて話をしたいと考えたのです。

私たちは彼らと会い、多くのことを話し合いました。ここでは私が今、彼らとの交流をとおして思い考えていることの一端を話そうと思います。

戦火のなかで奮闘する労働組合

ウクライナ左翼の人々は今、多くの労働者とともに、軍隊に入る人や兵站を支援する人、人道支援の物資調達をする人というように、役割を決めてレジスタンスをたたかいぬいています。これは二〇二二年のロシア侵攻以前から、すでに準備をしていたことだそうです。彼らは言います。――まずはロシアによる侵略を阻止しなければ、労働者や民衆の社会的権利を守るその前提が破壊されてしまう。だから、自分たちはレジスタンスをたたかうのだ、と。

彼らは、ウクライナの労働組合が、今のロシアによる侵略にたいしていかに闘っているのかについて、教えてくれました。ロシア軍のミサイル攻撃により破壊された町では、労働組合が避難所を運営している。兵士として戦場に行った職場の同僚の家族を支援するのも労働組合です。戦場に物資を供給する鉄道が破壊されれば、労働者がすぐにこの修理に着手する。学校が破壊されても、教育労働者はすぐに学校再建のために動きだす。破壊された学校を建て直す場合には、今度は教室を地下につくるのだそうです。子供たちをミサイル攻撃からなんとしても守り抜くために。

それとともに、彼らは言っていました。戦時中であっても、労働者はみずからの権利を守るために団結し起ちあがる。ウクライナ政府は戒厳令をしき、大規模な大衆行動を禁じているけれども、労働者は

――たとえ小規模であるとしても――、みずからを組織し行動することをやめないのだ、と。

ウクライナの医療労働者たちが昨年、賃上げと労働条件の改善を求めて労働組合を結成しストライキに起ちあがったことも、彼らは私たちに紹介してくれました。

ウクライナの労働者たち、なかんずく労働組合に結集する労働者たちは、戦時下にあっても働きながら職場を守り・たたかい、仲間を増やしているという。私は、思ったのです。ウクライナの労働者は、たとえ戦争のただなかであっても、みずからを階級的に組織する追求をおしすすめているのだ、と。このような彼らのいま・ここの闘いは、必ずやこの戦争の先の未来をも拓いてゆくに違いありません。

ウクライナ人民を孤立させない

このようなウクライナの労働者人民とその先頭で奮闘しているウクライナ左翼の人々にたいして、〝早く降伏したほうがいい〟とか、〝自国政府のために戦っている民族主義者だ〟とかと、悪罵をなげつけているのが、ヨーロッパ諸国の一部の「左翼」連中です。ウクライナ・レフトのみんなは、こういった自称「左翼」たちを、「物質的現実」を見ようともしない連中なのだと、批判していました。

彼らは言います。ヨーロッパのこれらの「左翼」どもはウクライナのレジスタンスを「自国政府のための戦争」であり戦うに値しないものなどと端からきめつけている。連中は、ウクライナで何が起きているのかを知ろうともしない、かつてのソビエト体制の抑圧に苦しめられてきたウクライナの歴史的経験を無視する西側中心主義の輩なのだ。ウクライナは今ロシアに侵略されているのであり、もしも自分たちが抵抗しなければ、ウクライナという国も、そこで生き働いているウクライナの人々も、無きものにされてしまう。だから自分たちはたたかいつづけるのだ……。

私は、ウクライナの労働者人民とウクライナの仲間たちを罵倒するデタラメ「左翼」どもを、決して許すことができません。この連中は、侵略されているウクライナの人々の立場に身をうつし入れて共に苦しみ考え行動するということを、まったく為しえないのです。

ウクライナの労働者人民は、今とても厳しい局面におかれています。彼らは、侵略国のロシアからは「ウクライナはもともとロシアの一部だ、ウクライナという国も民族も存在しはしない」、「ロシアに抵抗しているウクライナ人は皆ナチスだ」と罵倒され、みずからの存在そのものを否定されています。子供たちの連れ去りと女性の陵辱は、ロシア権力者どもの戦略の一環です。ロシア占領地域の男性はロシア軍兵士として前線に送られる。ウクライナ民族の根絶をすら、叫んでいるのがロシア権力者どもなのです。

それだけではありません。戦火を逃れてヨーロッパ諸国に避難したとしても、ウクライナの人々は避難先の国の一部の人たちから、「自国政府がウクライナを支援するから自分たちの生活が苦しくなっている」という非難の眼でみられるようなことが起きています。保守的な人たちからは、「ウクライナもロシアももともとは同じ東側だ」という冷ややかな態度をとられることもある。ヨーロッパの「左翼」を名乗る一部の連中も、在ヨーロッパのウクライナの人々にたいして極めて冷淡です。この輩どもは「ウクライナはプーチンと交渉すればいい」などと偉そうに主張するのだそうです。

しかも、「西側」諸国ではない・旧ソ連のいわゆる衛星国であったポーランドなどにおいても、ウクライナから避難した人たちを取りまく状況は、決して良いわけではありません。私たちは、ウクライナ左翼のひとりから、ポーランドに避難しているウクライナ人の女性労働者の体験について、話を聞きました。この女性はポーランドの職場の同僚から「ウクライナはもともとソ連じゃないか」「ソビエトの売女め！」と罵られたのだそうです。

私は今、ウクライナの労働者人民を絶対に孤立させてはならないと思います。一部の悪質「左翼」どもが害毒を垂れ流しつづけることを、決して許せません。これらの連中は、マルクス主義の言辞を得手勝手にふりまわしつつ、労働者人民の味方づらをしながらウクライナのレジスタンスをたたかう者たちに罵声をあびせている。プーチンの〝擁護者〟となり立ち回っている。私たち反スターリン主義革命的左翼は、このような連中を批判しつくす――、私はそう決意しています。

「色あせない花」マルクスの思想は甦る

いま私は、〈プーチンの戦争〉を打ち砕く闘いを、ここ日本においておしすすめると決意をあらたにしています。すると自然に、出会った彼らの顔が浮かぶのです。彼らだけではありません。直接に会ったわけではないし、顔も知らないけれども、彼らが話していた彼らの仲間たちや家族のことを思うのです。

　彼らが皆、それぞれに歴史を負うているということについてもそうです。彼らはかつてソ連邦のもとでスターリン主義官僚による苛烈な抑圧を経験しています。だから、自分たちがめざす社会はこのような社会ではないと思っている。またソ連邦崩壊後に資本主義化をすすめたウクライナにおいては、彼らは経済的困窮を強いられ、わずかなりとも残されていた社会的諸権利すらも奪われてきている。だからウクライナ左翼の人々は、資本主義にたいする幻想などまったくもっていないのです。彼らは、「戦争も抑圧も搾取も差別もない社会」を創造するためにたたかっています。私は、そのような彼らとともにたたかいつづけたいと思うのです。

　彼らと喫茶店でお茶を飲みながら話をしていたときのことです。私たちの仲間のひとりが言いました。「スターリンの哲学は人間不在の哲学だ」と。すると彼らのひとりがすかさず、「そう、だからホロドモールなんてことをやるんだ」と身を乗りだしてきたのです。聞けばその人は、『資本論』や『経済学＝哲学草稿』を読み、マルクス主義を学んだといいます。そして言いました。「マルクスの疎外という概念はとても大切だと思う」「マルクスは『資本論』のなかでは疎外という概念をつかってはいないけれども、それはマルクスが疎外という概念を経済学的に磨きあげたからだ。『経済学＝哲学草稿』を書いたマルクスの精神は、『資本論』においても変わってはいないと思う」と。私はこの時、彼らと出会うことができて本当によかったと思いました。

スターリン主義ソ連邦とその後の資本主義の矛盾を一身に背負っている彼らは、スターリン主義により歪められてはいない・マルクスのマルクス主義をみずからのものにしようとしている。私は黒田さんがソ連邦崩壊の直後に、「ブルジョア的価値観の貧民・虐げられた者への押しつけは、……マルクス思想を不死鳥のようによみがえらせる」(「世紀末の思想問題」『ブッシュの戦争』KK書房刊所収)と、言われていたことを想起しました。本当に、黒田さんが言われていたとおりだと思ったのです。黒田さんがソ連邦の自己解体の直後に「不死鳥のようによみがえる」と言っていたことは、まさにいま私たちが体験していることなんだと。私は、黒田さんの言葉を再び三度かみしめました。そして、われわれ反スターリン主義革命的左翼が、今こそマルクス思想を全世界人民の自己解放の武器として甦らせると、決意をあらたにしたのです。

私たちと別れる間際に彼らは言いました。「地球の反対側にある日本に、ウクライナの私たちのことを思ってくれる人たちがいて、会いにも来てくれた、こんなにすばらしいことがあるなんて」と。いま私たちは新たな仲間を得たのだという思いです。

私たちは、彼らと一緒に植物園を歩きながら話をしました。その時、ひとりの女性がふと、「この花はウクライナにもあるのよ」と口にしました。「この花は、ウクライナではお墓に供えるの。長く色あせない花だから」……。私たちと別れた後、彼女は戦火のただなかの国に帰っていく、そう思うと私は、何も言葉になりませんでした。

未来に通じる道を

すべての皆さん。

ロシアの侵略から二年。確かに今、ウクライナの人々は大きな困難に直面しています。米欧の権力者たちは、ウクライナ支援をやめたり縮小したりしようとしているからです。彼ら権力者は、支配階級としての自分の利害しか眼中にないのです。

特にひどいのはアメリカです。バイデンは、イスラエルの殺人鬼・ネタニヤフと抱きあったがゆえに、いまや中東全域に広がる戦乱に引きずりこまれ、駐留米軍はイラクなどからも叩き出されようとしています。

そしてアメリカでは、民主党と共和党との共同でつくってきた「ウクライナ支援」の入った緊急予算案が、トランプ一派の横やりで葬られました。こうしてアメリカは今、ウクライナ支援をうちきろうとしています。

大統領選一つまともにできず、フェイクによって人民を操作するいわゆるポピュリズムが横行する国、しかも痛苦なことに白人の労働者階級が自分ファーストのトランプを救世主としてたたえる悲惨なアメリカ――、これこそが、かつての「一超」帝国主義アメリカの、あまりにも落ちぶれ果てた姿なのです。

他方、この凋落するアメリカとネオスターリン主義・中国との角逐が激化するなかで、スターリン主義ソ連邦時代の版図の再興を目指してうごめきだしたのが、ロシアの権力者です。KGB出身のあのプーチンを皇帝の玉座に据えているのが、FSB強権型国家ロシアの権力者どもです。国の七五％の富をわずか一％の権力者と富裕層が独占するこのロシアの権力者が、際限のない欲望にかられて、最初に血祭りにあげようとしたのが、ウクライナなのです。

三月の大統領選挙に向けて、「ウクライナ戦争反対」を公然と表明する者が何十万人もの署名を集めて立候補しました。ところがプーチンは「署名の名簿に不備がある」と称して、すべて立候補資格を剥奪してしまいました。そして「ウクライナはもともとロシアのもの」という妄念に突き動かされて、なおもこの〝大義なき戦争〟を続行しようとしているのです。

だが皆さん、いつまでも暴力と脅迫と嘘で人民を操作できると思ったら大間違いです。三月選挙でプーチン圧勝を演出しそのヒトラーのごとき野望を実現しようとすることは、必ずやＦＳＢ強権体制の瓦解をもたらすに違いありません。

私はウクライナの人々と直接話をして、本当に心の底から思いました。ウクライナの人々は強い。心が折れない。それはスターリン主義ソ連邦のもとと、資本主義のもととの、その両方の地獄を経験し生き抜いてきたことからする強さに違いないと思ったのです。そして私は確信しました――この方々は、窮地にあればあるほど知恵を出し合い、助け合うと。だから、何があっても負けはしない、と。

最後に私は思います。

＜プーチンの戦争＞の画歴史的意味・その反プロレタリア的階級的意味をとらえることができるのは、スターリン主義と真っ向から対決してきたわれわれだけです。そしてこの戦争にたいして全世界の労働者階級が一致団結して闘い勝利するとき、未来に通じるどんな道が切り開かれるか。これを自覚しているのは、われわれと・そしてウクライナの労働者人民とりわけその先頭で闘っているウクライナ左翼の人々だと思うのです。

侵略開始から二年の二月二十四日前後には、昨年に続いて再びＥＮＳＵ（ウクライナ連帯ヨーロッパ・ネットワーク）などの呼びかけで世界中で統一行動が予定されています。昨年と同様に、私たちもこの呼びかけ団体に加わって2・25労学統一行動をたたかいたいと思います。

それとともに、いまガザの人民を襲っている悲劇は、ウクライナ人民のそれと同様です。だから私たちは、プーチンのウクライナ侵略反対と同時にネタニヤフのガザ人民大虐殺反対をたたかうのでなければならないと思います。

すべての皆さん。ともにたたかいましょう。

（二〇二四年二月十一日、労働者怒りの総決起集会での革マル派連帯挨拶）

闘うウクライナ人民と連帯して　その5

感想――ウクライナ左翼の人々と対話して

高槻聡一郎

全学連OBである私は、昨二〇二三年、先輩同志たちとともに、プーチン・ロシアの侵略に抗したたかうウクライナ左翼の方々にお会いしてきた。

ウクライナ左翼の方々は、遠く離れた極東の地からやってきた私たちを、「みなさんの日本での闘いは、私たちにとって本当に力になっているんです」と迎えてくれた。彼らは、ロシアのウクライナ侵略をうちくだくために、そしてそのただなかで労働者階級の団結を広げ強めるために、それぞれの場所で、それぞれの任務を帯びてたたかう戦士たちであり、マルクス主義者たちだった。

さまざまなことをめぐって彼らと語りあった、短かったけれど熱く、濃密なひととき。私はあの時いらい、彼ら一人ひとりの顔を思い浮かべながら、〈プーチンの戦争〉を粉砕する反戦闘争をここ日本でいっそう大きく巻き起こすためにたたかっている。

ウクライナ左翼の闘い、そして日本全学連の闘い

ウクライナ左翼の方たちにたいして私たちは、まず次のことを伝えた。――われわれ革命的左翼は日本の地で、〈プーチンの戦争〉を粉砕するために、ウクライナ反戦の大衆闘争を断固として創造していること。そして、ウクライナ人民の闘いに悪罵をなげつける破廉恥な自称「左翼」を、徹底的に批判していることを。

そして、「今回は、ぜひ、ウクライナのみなさんの闘いについて、お聞きできるとありがたいです」とお願いした。

これにたいして、ある女性の方がこう答えてくれたことが、私の耳に強く残っている。

「いいわよ。なんでも聞いて。……でもね、私たちは、ウクライナを理想化したり、英雄化したりするような話はできない。ありのままのウクライナのことを話すわ。いい？」と。

私たちが「もちろん」と返すと、彼女はにっこりとほほ笑んで、「わかったわ。なんでも聞いて。どんなことでもね」と言ったのだった。

私たちには彼女の言いたいことがすぐにわかった。

彼女たちウクライナ左翼は、ロシアの侵略に抗するレジスタンスをたたかうと同時に、ウクライナ政府の新自由主義的な諸政策にも反対している。

ウクライナの労働者たちが、戦争のまっただなかでみずからの権利と生活を守り階級的な団結を強化するためにどのようにたたかっているのか。そしてウクライナ左翼はこの戦争の先にどんな社会を見据えてたたかっているのか。……ウクライナを〝自由と民主主義の守護者〟として「理想化」する欧米日のメディアが決して伝えないような、ウクライナ・プロレタリアートとウクライナ・レフトの地を這う闘い。それを彼女は「ありのままのウクライナ」という言葉に込めたにちがいない。

そして、そこが、まさに私たちが彼らにぜひ聞きたいと思っていたことだった。最初から、心が通じ

あっている、と思った瞬間だった。

彼らは私たちに、たくさんのことを教えてくれた。ウクライナ・レジスタンスとそのなかでの左翼の役割。ウクライナ政府の労働政策の現在と、これにたいする労働組合の反撃の闘い、などなど。……戦火のなかにあって、不屈の労働者魂をたぎらせたたかうウクライナ労働者階級とウクライナ左翼。私たちは、胸が熱くなるのを抑えることができなかった。

この私たちにウクライナ左翼の人たちは、「日本の学生運動のことについても、ぜひ教えてくれない?」と言ってきた。

よし、今度は、全学連の仲間の熱い闘魂を、彼らに伝える番だ!――そういう思いで、私は全学連が推進する革命的反戦闘争について紹介した。……日本の既成左翼はウクライナ反戦のとりくみを完全に放棄しており、全学連はこれをのりこえて〈プーチンの戦争〉をうちくだく闘いを唯一創造していること。イスラエルのガザ人民虐殺に反対して起ちあがりつつある学生たちにたいしてもわが仲間たちは、同時にウクライナ反戦にも起つべきことを訴えていること。さらに、「今日のウクライナは明日の東アジア」と称し、ウクライナを〝利用〟して日本の大軍拡と日米安保の強化、憲法改悪をおしすすめる岸田政府にたいして、全学連は断固たちむかっていること、など。

そして、このことはぜひとも伝えないわけにいかないと思い、話した。……私の仲間である愛知大学の三人の学生にたいして、大学当局が、許せないことに「在日ウクライナ人主催のウクライナ反戦デモにのぼりを持って参加したこと」などを理由として「退学」処分をふりおろしてきた。この大弾圧をうちくだくために、たたかう愛大生は全学連のすべての仲間とともに断固としてたたかっている、ということを。

これを聞いてあるウクライナ左翼の女性の方は、「ええっ……退学!?」と本当にびっくりしていた。彼女は、身を乗りだして、「それで?　その三人は、今どうなってるの!?」と聞いてきた。何をおいてもまず、三人の身を案じてくれたことが、私にはうれしかった。

私は、「もちろん、『退学』撤回をかちとるために、元気にたたかっていますよ。良心的な弁護士の方々の支えをも得ながら、そして、愛大生だけでなく地域住民も組織しながら、彼らはたたかっています」と伝えた。彼女は、「そうなの！　こういうときに団結を強化するとりくみというのは、重要ね。」「三人の学生は、勇敢ね！」と言ってくれた。

これを聞いて私は、彼女たちに愛大生の闘いをお伝えできてよかった、と思った。侵略者と命を賭してたたかうウクライナ左翼の人たちは、暴圧に抗したたかう愛大生の魂を、体で感じとってくれたのだ。

Aさんとの出会い

ウクライナ左翼の方たちと語りあうなかで、彼らをとりまく二重・三重に困難な状況についても痛感させられた。

私たちは、ウクライナ国内だけでなく、ヨーロッパの都市を拠点に活動するウクライナ左翼の人たちとも会い、話しあった。そのうちの一人で、Aさん（仮にそう呼ばせていただく）という若いウクライナ人男性がいた。

このAさんと、とあるアジア料理店で夕食をとりながら話していたときのこと。彼は、これまでのみずからの歩みについて語ってくれた。それは、私の想像を超えるものだった。

Aさんはもう何年も前に、ある事情で若くして単身欧州に出国せざるをえなくなったという。このときすでに、プーチン・ロシアはクリミア半島を強奪していたばかりか、東部ドンバスの「親露派」勢力を操ってこの地をも奪いとる策動を強めていた。Aさんは国外にあって、プーチンのこの暴挙にともに反対する仲間を集めはじめる。そして二〇二二年二月、ついにロシアの全面侵略が始まった。すぐにでも故郷に飛んで戻りたかっただろうが、Aさんはいまおいてある場で、全ヨーロッパの労働者階級のなかに「プーチンの侵略反対」の運動をつくりだすという任をひきうけ、彼の周りに集う仲間たちとともにたたかいつづけてきた。ウクライナ国内でのレジスタンスと連携しながら。

もう長く踏んでいないであろう故国の土。残してきた家族や友人を思い、その安否を気遣いながら、みずからのおいてある場所で、故郷をふみにじる侵略者どもとずっとたたかってきたんだな。……私は、本当に頭が下がる思いだった。

Aさんは私たちに語ってくれた。

「欧州の人たちのなかには、口では『ウクライナに自由がありますように』と言うけれど、実はそれとは違う感情を私たちにたいしてもっている人も多いです。自国政府がウクライナを支援するから自分たちの生活が苦しいんだ、『ウクライナより経済だ』、ということです」と。だから、労働組合として「ウクライナ問題」をとりあげるのも簡単ではない状況なのだ、と。

そして、欧州の一部「左翼」連中もまた、「ウクライナはプーチンとちゃんと交渉すべきだ」などと説教を垂れるのだという。

ポーランドに避難している知り合いのウクライナ人女性が、職場の同僚から「ソビエトの娼婦」を意味する忌まわしい罵り言葉を投げつけられた（本誌本号の沢田今日子論文八四頁を参照）という話をしてくれたのもAさんだった。その話をしたときの、彼のなんとも言えず悔しそうな表情が、私の脳裏に焼きついている。

私はAさんの話を聞き、「そうか……チクショウ！」と歯噛みする思いになりながら、ウクライナ左翼のある人が以前、雑誌『コモンズ』のなかで「ウクライナは『周縁の国』」と語っていたのを思い起こした。

「東側」＝ロシアからは「西欧に身売りした裏切者」とみなされてその存在そのものを否定されているウクライナ。他方「西側」からは「所詮もともとソ連だった国」だとして同等にも扱われないウクライナ。……この「周縁の国」から来たAさんたちは、異郷の地にあって、日々屈辱に身を震わせながらたたかっているのだろうか。

〃このAさんたちを、そしてウクライナ労働者・人民を、断じて孤立させてなるものか〃――そう思うと、私の口をついて次の言葉が出てきた。私はA

さんに言った。

「私たち、日本の戦闘的な労働者と学生は、ウクライナのみなさんとともにあり、ともにたたかいつづけます。たとえ、どんなことがあろうとも」と。

Aさんは私の目をまっすぐに見て、「……ありがとう」と言った。私の思いは、彼にたしかに伝わったのだと思う。……

時は移って今年二月二十四日、「ウクライナ侵略開始二年」にさいして欧州各国で「ウクライナとの連帯」をかかげる大規模な集会・デモがおこなわれ、その模様が『解放』(第二八〇九号)で紹介された。

それを見て私は思った、「きっと、Aさんも、この闘争の組織化に奔走したにちがいない!」と。

そうだ、いかなる困難に直面しようとも、彼は、そしてウクライナ左翼の人々は決して負けはしない。鋼の魂をもつウクライナ左翼のAさん。彼の奮闘に思いを馳せつつ、私はここ日本で、仲間たちとともにウクライナ反戦闘争の爆発をかちとり、またデタラメ「左翼」を粉砕しつくす決意を新たにしている。

ともに新たな世界をめざして

ところで、彼らウクライナ左翼の方たちは、スターリン主義ソ連邦が自己崩壊を遂げたあとのウクライナで、何を契機に、どのようにして左翼になり、マルクス主義者になったのだろうか。——このことについても彼らは、初対面の私たちのぶしつけな質問にもかかわらず、たくさんのことを語ってくれた。

なかでも、あるウクライナ左翼の方は、私たちにこう語った。自分は『資本論』とともに『経済学=哲学草稿』を読んでマルクス思想を学んできた、と。そして『労働の疎外』の概念はとても大切。マルクスのこの考えは、『資本論』においても一貫していると私は思います」と。……それをこの耳で聞いたときの、その場に突然白く強い光が差し込んだような衝撃を、私は決して忘れることはないだろう。

すべてのスターリン主義者が「未熟なマルクス」として歯牙にもかけてこなかった『経哲草稿』。それを、ソ連崩壊後に、スターリン主義の犯罪が刻みこまれたウクライナの地で手に取り、そしてその思想の核心をみずからの支えとして生きてきた人々がいる。こうした人たちに、わが反スターリン主義革命的左翼が戦火のなかで邂逅した。――この〝めぐり合わせ〟を、なんと形容すればよいのだろう。

私は、日本を発つ直前に読んだ黒田さんの短文「今こそ変革の哲学を我がものに！」（『指がひとつのかたまりとなって』こぶし書房刊所収）を想起した。

ロシアの新聞に掲載されたということの文（一九九六年二月一二日付）で黒田さんは、貧窮のどん底を生きしのぐ「亡国ロシア」の勤労人民にむけて、次のように訴えている。

「この〔ロシア革命の〕革命的伝統を現在的に甦らせながら、ロシア労働者・勤労人民はふたたび自らを組織化し変革を熱願する歴史的主体として世界史の舞台に躍りでる以外にありえない」と。

そしてそのためにこそ、「若きマルクスが彼の『経済学＝哲学草稿』において展開したところの労働の論理」を根幹とした実践論を、変革の哲学をわがものとすべきことを、黒田さんはロシア人民にたいして渾身の筆致で呼びかけている。

私は思った。黒田さんのこの訴えは、ウクライナの左翼の人々や勤労人民にも、絶対に響く、と。

ついに一人のソ連勤労人民の魂をもつかみえなかった、「マルクス・レーニン主義」の名を冠した人間不在のスターリン＝ミーチン哲学。この冷たく乾いたスターリニスト「哲学」ではない・真実のマルクス思想を必死に追い求めながら、ウクライナ左翼の人々は生きたたかってきたのだ。この彼らに、黒田思想を今こそ届けたい――私は心からそう思う。そしてあらためて決意する。われわれこそが、今は戦火のただなかにあるかの地に、そして旧ソ連圏の全土に、全世界に、マルクス思想をプロレタリアートの自己解放の思想として蘇らせるのだ、と。「暗黒の世紀」を根底から覆すために。……

最後に。帰国後、私は、全学連の若き仲間たちに今回のとりくみを報告する機会を得た。全学連の仲間たちは、口々に、たくさんの感想や質問を出してくれた。そのほんの一端を紹介したい。

「ウクライナ左翼の方たちが、戦時下においても労働者の団結を強化するために奮闘していると聞いて、心が熱くなる。いろいろと苦労しながら、工夫しながらたたかっているんだろうな……。彼らの闘いにもっと迫ってゆきたい。」

「ウクライナ・レジスタンスを誹謗する西欧『左翼』って本当にひどいな！　四面楚歌のなかで怒りを燃やして奮闘しているウクライナ左翼の人たち。彼らを孤立させるわけにいかないと思った。僕らはいよいよがんばらないと！」

「ちょうど自分も先輩たちと一緒に『経哲草稿』を学びはじめたばかりだったので、ウクライナ左翼の人が『経哲』を読んでいたと聞いて〝なんてタイムリーなんだ！〟と思った。彼らウクライナ左翼とともにこの現代世界を変革していく、そういう主体になるために、マルクスや黒田さんにもっともっと学びたい。」……

私は、この若き仲間たちとともに、ウクライナ反戦闘争の大高揚をきりひらくために断固奮闘する決意である。

侵略者プーチンとＦＳＢ官僚どもはいま、暴力と票操作でデッチあげた「大統領選圧勝」をかさにきて、ロシア勤労人民の叛逆をねじふせながら、ウクライナ侵略戦争をなおも続行しようとしている。これを私は絶対に許さない。

ウクライナ・レフトの仲間たち！　われら日本の革命的左翼は、悪逆な〈プーチンの戦争〉を粉砕するために、力のかぎりたたかうぞ！

そして、この地上から階級支配を根絶し、「戦争も抑圧も搾取もない」新しい世界を実現するその日をめざして――ともにたたかわん！

〔シリーズ「闘うウクライナ人民と連帯して」は、本誌前号に以下の諸論文を掲載しています。〕

その1　パレスチナ人民と連帯するウクライナからの手紙　ウクライナ－パレスチナ連帯グループ
なぜウクライナ人はパレスチナ人を支援すべきなのか　ダリア・サブロワ

その2　ウクライナ・レジスタンスに敵対する左翼のデタラメな10の主張　オクサナ・ドゥチャク

その3　解決策を考えるなら、少なくとも原因を取り違えてはならない　ハンナ・ペレホーダ

Putin, and that many of the Russian people, too, have seen through his lies.

It is just an illusion of those arrogant power-holders to believe that working people can be controlled forever by means of conspiracy, violence and lies. Clearly, Russian rulers have dug their own graves by sacrificing Russian people for their crazy ambition. They are now following in the wake of the rulers in the era of the Stalinist Soviet Union.

We call on all the working people in Russia: Rise up now to bring down the Putin regime, which has laid bare its nature against working people!

Together with Ukrainian working people who are unyieldingly fighting against Putin's brutalities, we are determined to continue fighting to give a finishing blow to the Putin regime.

(March 31st, 2024)

〔本論文は、本誌本号掲載の「モスクワ近郊の銃乱射事件の謀略性」を英訳したものです。〕

cent' and '87 percent of votes for Putin'. It's perfectly obvious that the Russian presidential election is no more than an empty ritual whereby people pledge obedience to Tsar Putin. The staging of such a farce is, however, causing extensive ill feelings among Russian people towards the 'Putin regime' that is to last until 2030 (according to one political scientist in Russia, the actual approval rating for Putin amounts only to around 50 percent, and that mainly from old people).

Despite that, the Putin regime is hell-bent on continuing its war of aggression against Ukraine to fulfill its ambition of absorbing Ukraine into Russia. In order to do so, they need to arouse hatred towards Ukraine in the urban youth who are becoming more and more skeptical about this war, and particularly in the situation where there are already one million people who have skipped the country. Precisely for this reason, the rulers of Russia perpetrated this heinous conspiracy.

Those brutes must have recalled the major incident which took place in the Dubrovka theatre in Moscow 22 years ago, in October 2002, that is, the incident where an armed Muslim group occupied the theatre to demand the withdrawal of Russian troops from Chechnya and, in response, special forces of the Russian government used poison gas and guns to kill more than a hundred and dozens of people in total, including the armed group and spectators.

Owing to this incident, the approval rating of President Putin, who used to be a minor KGB officer, skyrocketed to 83 percent. This event boosted him into a 'president who symbolizes strong Russia'.

Later on, Anna Politkovskaya, a journalist for an independent paper, *Novaya Gazeta*, disclosed to the public that the Russian government had been involved in that attack. But Politkovskaya was shot dead at her apartment building while six of her colleagues were also murdered. Moreover, Alexander Litvinenko, a former FSB officer who knew the truth behind the incident, was assassinated in England.

That was indeed a major conspiracy schemed and perpetrated by the FSB, with the aim of consolidating the FSB-helmed authoritarian state of Russia with Putin set as a public face.

The incident this time and the Dubrovka incident in 2002 have many things in common. The difference lies in that, 22 years ago, Russian people were delighted at the 'advent of a strong leader', while today, there is no one in the world who believes in the story faked by resistance endure the shortage of ammunition and are preparing to launch a major counteroffensive in 2025 by arming themselves with F-16 fighters and advanced defence systems to be supplied from European countries, as well as with their home-made drones.

Faced with this reality, Russian rulers fear that, if they do not consolidate the four oblasts now, whose annexation they declared in October 2022, as 'Novorussia (new Russia)', everything will come to naught. Already the toll of casualties on the part of Russian troops has risen to 350,000 in two years. Despite this, they reportedly have a plan to launch a new offensive, which is to begin in May, and for that purpose are moving to carry out additional mobilization amounting to 150,000 to 200,000.

However, the Putin regime has so far mobilized people mainly from ethnic minorities and ethnic groups in peripheral areas — Buryats and other Mongolian minorities and Muslim people including Chechens and Dagestanians. People in these areas are filled with mounting anger against the Putin regime. Above all, Tajikistan, a Muslim country and erstwhile constituent republic of the Soviet Union, is the poorest of all five nations in Central Asia. Roughly 20 percent of its population of 10 million are said to be working as migrant workers in Russia. It has a lot of IS members who flowed into this country after they were bombed in Syria and Iraq, not only by the US-led Coalition of the Willing but also by Russia. It is said that there are not a few Tajiks who have joined IS in Russia.

Muslims in Russia can be said to be a thorn in the side of the FSB-helmed authoritarian state topped with Putin, who espouses a 'Russkiy Mir (Russian World)'. For the Putin regime, it is an urgent task to eradicate the so-called Muslim 'extremists'. And this constitutes one reason why the Putin regime manipulated those Tajik members of IS to stage the attack in Moscow.

But the crucial point of this regime's wicked aim lies in the following. Russian power-holders are today besieged with mounting dissatisfaction among people, especially among young people living in urban areas. In the mid-March presidential election, the Putin regime resorted to the replacement of ballots, introducing an e-voting system that allowed the regime to manipulate the votes at will and forced residents (in those four Russian-occupied oblasts) to vote by pointing a gun, etc., and by so doing, staged the 'all-time high turnout of 74 peranalysis, who checked the videos taken in the auditorium and the arresting spot. The point of view now spreading wide in Europe is that those men, dubbed 'men in blue', were the parties deeply involved in the incident, and therefore that the incident was in fact a conspiracy that the FSB itself planned and conducted.

To add, the IS-released video shows attackers handling automatic rifles. It is said that rifles of this type called AK-12 can only be acquired by officials related to the military and the security service. This is also seen as 'evidence' indicating that the FSB is the mastermind.

This is not all. On March 21st and 22nd, just before the incident, Russia launched unprecedentedly massive attacks on Ukraine. This must by no means be coincidental. (See the March 22nd statement issued by the Confederation of Free Trade Unions of Ukraine (KVPU).)

(4)

This gun-shooting incident, a mass killing, is either 'instigated' by the FSB or both planned and conducted by the FSB itself. Almost no one in the world doubts that.

The reason why Putin and those evildoers of the FSB launched this bloody conspiracy is that they were obsessed with utmost irritation. Despite the fact that Ukraine's hopes for the counter-offensive to drive out the Russian occupation troops were not fulfilled due to the so-called 'aid fatigue' of the West and other factors, and despite the fact that US support for Ukraine is actually running aground due to obstructions by Trumpists in the Republican Party, Russian rulers fear for a gloomy future closing in on them. Why?

America's halt to support has rather united European member states of NATO to support Ukraine. Some of them are accelerating the moves to conclude bilateral security agreements with Ukraine. On top of those, Finland and Sweden's entries in NATO have isolated Kaliningrad, a Russian exclave, causing Russia to lose its maritime supremacy in the Baltic Sea. Russian rulers are suffering from these developments, which they had never expected before they invaded Ukraine two years ago. Their worst miscalculation is that, even though they rain missiles over Ukraine, Ukrainian people's resistance is never discouraged.

At present, Ukrainian forces and working people united in

according to its long-standing 'duty to warn' policy, of 'imminent plans' of attack about two weeks before the incident. Whether this claim is true or not, it is a fact that a warning was posted on the official Web site of the US Embassy in Moscow on March 7th: 'There are reports that extremists have imminent plans to target large gatherings in Moscow, to include concerts.' And the Biden administration was warning US citizens in Russia to avoid big events.

It is now obvious that, although the Russian government was aware of this plan, it did nothing to prevent it. It rather intended to use it for its war of aggression in Ukraine.

In fact, Kremlin spokesman Dmitry Peskov said in an interview with a pro-government newspaper published on March 22nd, before the incident: 'We are in a state of war.' 'Everyone should understand this for their internal mobilization.' Right before the incident, the Russian government suddenly started to press its people to 'understand that Russia is in a state of war', though it had so far referred to its invasion of Ukraine as a 'special military operation'. This also bespeaks that the FSB-helmed authoritarian state of Russia manoeuvred behind the incident.

(3)

The above-mentioned are not all that show the nature of this incident as a conspiracy.

The attackers, as we mentioned, headed at first to Belarus and changed their direction to Ukraine. Then they were arrested in the Bryansk Oblast by Russian security officials. But, surprisingly, these officials had already been in the concert hall before the attack started.

In that bloody auditorium, many people were taking videos with their smartphones. Their recorded shots show several men wearing identical blue sweatshirts and jeans. These men, sitting separately but close to each other, remain calm with their legs crossed while the rest of the crowd are panicked and stampeding to the exits. And the videos released later by the Russian authorities show a number of men 'arresting the criminals' in Bryansk. These arresters are identical with those who were in the auditorium, in clothing, facial feature and the watch they wear.

This was reported by a number of European experts in image

video showing the shooting scene. The Russian security authorities themselves confirmed that all the attackers were IS members of Tajik nationality.

Reportedly, the Russian government at first, at its consultation meeting attended by Vladimir Putin himself, reached to the conclusion that there was no evidence to show Ukraine's involvement. Putin's so-called assistants therefore unanimously said that allegations about Ukraine's involvement had no evidence.

But Putin in his video speech said nothing about IS when he referred to the incident for the first time, fully 16 hours after the attack (March 23rd). Presumably this change was initiated by Nikolai Patrushev and other state bureaucrats of the FSB-helmed authoritarian state. Putin brazenly claimed: 'The terrorists tried to hide and moved towards Ukraine, where a window was prepared for them on the Ukrainian side to cross the state border,' and 'Ukraine's involvement is evident.'

(2)

From these things alone briefly mentioned above, it can easily be inferred that, behind the scenes, there were manoeuvres of the FSB, which has Vladimir Putin act as its public face.

The Putin regime is now frantically spreading a 'Ukraine's involvement' theory, saying that Ukraine gave funds and bitcoins to the criminals and that US and European officials were also behind the scenes. Conversely, however, it is becoming more obvious day by day that the Russian rulers themselves were behind the incident.

In the first place, Belarusian President Alexander Lukashenko, supposed to be a close ally of Putin, contradicted Putin's allegations that the attackers 'tried to move towards Ukraine', which is the single ground for Putin's theory of 'Ukraine's involvement'.

Lukashenko said that the attackers initially intended to enter Belarus but that he received a phone call from Putin, who asked him to close the border to prevent them from entering. He said, 'That's why there was no chance they could enter Belarus, and they headed to the Ukraine-Russia border, where they were arrested.'

Furthermore, the Biden administration of US imperialism claimed, after the incident occurred, that it warned the Russian authorities,

The Shooting Incident in Moscow: a Conspiracy

Russian working people, rise up now to bring down the Putin regime!

Japan Revolutionary Communist League
(Revolutionary Marxist Faction)

(1)

The incident occurred at a rock concert venue (Crocus City Hall) on the outskirts of Moscow around 8 o'clock in the evening on March 22nd. Several armed men wearing camouflaged battle dress burst into the hall and shot automatic rifles randomly at an audience of several thousand who were waiting for a performance. The moment the attackers broke in, a fire broke out with an explosive sound, causing part of the roof to collapse. 144 people were killed in this attack (as of March 29th) and many others injured. Russia's Federal Security Service (FSB) announced that four of the attackers who had fled by car from the hall were arrested in the Bryansk Oblast, a southwestern region of the country. (The authorities later announced that they also arrested seven members of the Islamic State (IS) who were active in Russian territory.)

Just after the incident, IS issued a statement through its Amaq news agency: 'IS fighters attacked a crowd of Christians in the city of Krasnogorsk, killing and wounding hundreds.' IS also released a

Netanyahu's massacre of Palestinians in Gaza'. But both Putin and Netanyahu are the perpetrators of mass murder and, for this very reason, Ukrainian people in resistance have expressed their solidarity with Palestinians.

Let us advance the Ukraine antiwar struggle and at the same time promote mass struggles against the massacres in Gaza by the Zionist rulers of Israel. We must prevent them at all cost from launching an all-out offensive on Rafah in which 1.5 million people are evacuated.

Workers and students. In order to crush brutal wars and with the aim of overturning the 'dark century' and carving out a 'world without war, exploitation or oppression', fight arm in arm with us the JRCL (RMF)!

〔本論文は、本誌第330号に掲載された「<プーチンの戦争>を粉砕せよ！　ロシアのウクライナ侵略２年に際して」を英訳したものです。〕

of the Western leftists who are hostile to the Ukrainian resistance while spreading arguments that defend Putin.

'NATO is worse than Putin since it is inciting Ukraine to war.' 'Let's stop our governments sending weapons for the *butchery in Ukraine*.' — In these arguments, they even ignore who is invading and who is resisting it, i.e. Russia as a one-sided aggressor and Ukrainians fighting against it, thus taking hostile attitudes to the latter. Those are truly anti-proletarian, anti-Marxist and inhuman nonsense.

We say again. Ukrainian people continue fighting against the brutalities of the nuclear superpower of Russia. Don't leave them isolated! The advanced part of the fighting Ukrainians are not only waging their resistance against the Russian aggression; they are also strengthening trade unions in opposition to neo-liberal policies taken by the Ukrainian government amid the protracted war. What they are fighting for is not a road that leads workers to the chain of capital but 'truly democratic and truly peaceful socialism'. They are our proletarian brothers and sisters. The world working class must not leave them in isolation.

Let us overcome the degeneration of the existing leaderships and promote a mass antiwar struggle!

We must denounce the existing leaderships of opposition movements for their degenerate responses and resolutely fight in solidarity with fighting people in Ukraine.

The central leadership of the Japanese Communist Party is doing nothing more than feebly requesting the rulers of the states for 'a global unity based on an agreement to respect for the United Nations Charter'. Among the ranks of this party, conscientious members who sympathize with the viewpoint of the JRCL (RMF) have appeared one after another. This has caused a big confusion to the JCP organization, so that this party has retreated from mass movements against the Russian aggression.

We appeal to all workers, students and citizens. Denounce and overcome such degenerate response by the JCP leaders! Let us create an enormous upsurge in the Ukraine antiwar struggle.

Some of the European leftists are insisting on 'putting an end to military support to Ukraine' while shouting 'opposition to even murdered, in a prison in Siberia, Aleksei Navalny, an opposition leader who exposed Putin's lavish palace.

But, against these wicked acts like those of a mafia boss, Russian people have started raising their voices in various places: 'No more of Putin's tyranny' and 'Stop the war'.

Russian working people, remember what the Putin regime is! Those who rule today's Russia were in the past Stalinist bureaucrats; they usurped the state property of the era of 'Soviet socialism' by every means possible, by using their statuses. These privileged bureaucrats now rule the authoritarian state of Russia under the control of the FSB [Federal Security Service]. These bureaucrats eliminate their opponents as warnings to others or often assassinate them secretly. Such methods are no different from those adopted in the former Soviet days. These privileged strata, just one per cent of the population, monopolize 75 per cent of the 'wealth' of the nation. This is also the same as in the Soviet era. That is why we say Putin, a 'descendant of Stalin', has committed the crime of the century.

Russian working people!

Putin is now commanding to continue and prolong the war. It is time to lift up your voice against the aggression in Ukraine, against the Putin regime. Toiling people in Ukraine, particularly those who are struggling in the van of the masses, do not look upon you, toiling people in Russia, as enemies. They clearly say that their enemies are Putin and his accomplices. They appeal to both Russian and Ukrainian people to march hand in hand.

We call on workers all over the world to create massive, powerful movements everywhere against *Putin's war*. That will be the strongest encouragement to Russian people struggling under harsh repression and will serve as a decisive blow to Putin.

In solidarity with fighting Ukrainian people!

For two years, we the JRCL (RMF) have been promoting the Ukraine antiwar struggle with pride and responsibility as anti-Stalinist revolutionary leftists. At the same time, we have been exchanging ideas with fighting Ukrainian leftists. We sent our statements and writings, exchanged emails, and visited them for face-to-face discussions. We have also been fighting to defeat the shameless arguments of some

The KVPU appeals:

> 'We reiterate that KVPU members continue to resist and fight for freedom and peace in our country' 'Your support is not just a symbol of international sisterhood but a beacon of hope and resilience for every Ukrainian enduring the horrors of this war.'

ENSU calls on the world for action:

> 'The Ukrainian people refuse to be passive victims of this aggression and are massively resisting the invasion, with and without arms.' '... what its eventual victory over Putin will most represent is not a win for the Western side in the great-power struggle for global dominance, but a triumph for the Ukrainian people's unyielding resistance and right to decide its future.' 'We call for making the week around 24 February a time of international action against the Russian invasion and in solidarity with Ukraine.'

Last year, on the first anniversary of the start of the aggression, 46 organizations from 20 countries actively responded to the appeal from the ENSU and achieved united action across the world. We the JRCL (RMF), too, joined the appeal. This year, we must create a bigger and stronger struggle to contain Putin the aggressor.

Denounce Putin's crime of the century!

What is *Putin's war*, in the first place? It is a war designed to eliminate Ukraine as an independent state, together with the Ukrainian nation, with the aim of incorporating it into Russian territory. This is the brutality of the century. The Russian rulers have launched this brutality out of ambition to revive the territory of the former USSR. They arrogantly claim the collapse of the USSR to be a 'geopolitical catastrophe' (Putin) despite the fact that 'Soviet socialism' (in fact, fake Marxism, i.e. Stalinism) had become synonymous with 'tyranny and poverty' and went to collapse (in 1991).

Putin is now jubilant about Western rulers' move to end or reduce their support to Ukraine. With the presidential election near at hand, this haughty 'tsar of Russia' has excluded his rival candidate, who attempted to run with broad support from the masses, by picking holes in his procedures to deprive him of qualifications for candidacy. Putin

Two years after Russia's aggression against Ukraine

Smash *Putin's war*!

Let us fight in solidarity with working people all over the world!

Japan Revolutionary Communist League
(Revolutionary Marxist Faction)

February 24th, 2024

Trade unions have stood up across the world against Russia's aggression

Two years have passed since Russia launched its military aggression in Ukraine. It is time for working people to stand up in unity under the banner 'No to *Putin's war*!'

At this very moment, mass rallies and demonstrations are being held in many places across Europe, in Paris, London and other major cities. Trade unions themselves have stood up, raising their voices: 'No more barbarities of Putler (Putin-Hitler)!' and 'Don't leave Ukraine fighting alone!'

A wide-spread united action of European workers is being realized. This presumably owes much to the call from the Confederation of Free Trade Unions in Ukraine (KVPU) and the assiduous activities of the European Network for Solidarity with Ukraine (ENSU).

〝労使一体〟の低額回答・妥結弾劾
独占体の物価つり上げを許すな！
大幅一律賃上げをかちとれ！

春闘集中回答指定日（二〇二四年三月十二日〜十四日）までに製造業・小売り業などの大手企業の多くが「満額（以上）回答」をおこない、各労組の労働貴族どもは次々と妥結に走っている。これをうけて、政府・独占資本家と「連合」芳野指導部は声を揃えて、「最高水準の賃上げを実現した」「賃金も物価も経済も上昇する経済社会へのステージ転換だ」などと大宣伝している。

だが、この各社の「賃上げ」回答なるものは、平均でもわずか三・七%、大多数の労働者には一〜二%程度の超低額のものではないか。それは、うち続く猛烈な物価高のもとでは、労働者に実質賃金の大幅切り下げを強制するものにすぎない。そもそも「満額（以上）回答」なるものじたいが、大手企業労組幹部の労働貴族が経営者と腹を合わせて賃上げ要求を自制したことの証左なのだ。

それだけではない。労働者には徹底的な賃上げ抑制を強いつつ、これまで二年間にわたって物価をつり上げつづけ暴利をむさぼってきた独占資本家どもはいま、「デフレ脱却」「賃金と物価の好循環」の名のもとにさらなる物価の引き上げに突き進んでいる。「連合」芳野指導部はこの独占資本家と岸田政権の懐深くとりこまれ、「物やサービスは安ければ安いほど良いというものではない」と語り、値上げ受け入れを労働者に求めているほどなのだ。この先、さらなる生活必需品価格の高騰が労働者・人民を襲い、今春闘の「賃上げ」などたちまちにして吹き飛んでしまうのは火を見るよりも明らかなのだ。

すべてのたたかう労働者諸君！　岸田政権や独占ブルジョアどもとの〝日本経済・企業発展のための(政)労使協議〟に埋没し闘いを裏切る「連合」芳野指導部を弾劾せよ！　〈大幅一律賃上げ獲得！賃金支払い形態の改悪反対！　物価つり上げ反対！事業再編のための首切り・配転攻撃粉砕！〉を掲げ、なおも闘いを続行している中小企業や非正規雇用の労働者を先頭に、二四春闘を戦闘的に高揚させるためにさらに奮闘しようではないか！

〝デフレ脱却のための春闘〟に歪曲する「連合」指導部を許すな！

〝政労使一体〟での〝物価引き上げ促進〟

集中回答日の三月十三日に首相・岸田文雄が呼びかけた「政労使の意見交換会」に馳せ参じた「連合」会長・芳野友子は、岸田および経団連会長・十倉雅和らと「日本経済のステージ転換」なるものを唱和し大宣伝した。

彼らは、製造業大手や一部小売り業大手などの賃上げ回答＝妥結を「最高水準の賃上げだ」などと語り、「賃金も物価も経済も上昇する経済社会へのステージ転換だ」と、口を揃えて自画自賛した。「デフレ脱却」を確実なものとし「賃金と物価の好循環」を引き起こすものであると大々的におしだしているのである。

この「ステージ転換」の大合唱をテコとしていま、

独占資本家どもは、自社の製品・サービス価格のいっそうの引き上げに突進している。見よ！　加工食品最大手の味の素や飲食サービス大手・すかいらーくの経営者は、「満額回答」をおこなったその場において、この「賃上げ」を口実として、「今後も、値上げをしていきます」と傲然と言い放った。鉄鋼大手・JFEの経営陣は春闘回答の翌日に、「新たに発生する労務費・物流費など社会的要請によるコスト増分」などとして正当化しつつ、鋼材価格の大幅値上げを発表した。独占資本家どもは、今春闘をつうじて労働者・人民の「デフレマインド」を払拭し〝物価値上げは良いこと〟であるとの社会的合意をつくりだすことができたと強弁して、自社の製品・サービスの価格を引き上げ、もって収益を大幅に増やそうとしているのだ。〔日銀は、春闘結果をうけて開催した三月十八日〜十九日の金融政策決定会合において、長らく続けてきたマイナス金利政策の解除を決定した。〕

　ロシアによるウクライナ侵略を契機にエネルギーや穀物などの価格が全世界的に高騰した。強欲な独占資本家どもはこれに便乗してこの二年、食料品、光熱費などありとあらゆる生活必需品・サービスを大幅に値上げしてきた（民間の調査機関によれば、二〇二三年の消費者物価の年間上昇率は、「生鮮品を除く」食料品価格が八・〇％、「頻繁に購入する品目」のうち生鮮野菜は三〇％であるという）。この四月には、食品を中心にさらに数千品目の値上げを強行しようとしているのが資本家どもだ。

　こうした生活必需品価格の大幅引き上げ、さらにはコロナ不況を口実として多くの労働者を解雇・雇い止めしたり、人手不足を理由にいっそうの長時間労働や労働強化を強制したりすることによって、自動車・石油元売り・商社・海運・食品などの独占資本家どもは史上空前の利益を謳歌している。今や大企業の内部留保は五五五兆円にまで膨れあがっているのだ。これこそは、彼ら独占資本家の吸血鬼どもが、労働者からの搾取・収奪をいちだんと強化してきたことの結果以外のなにものでもない。

それにもかかわらず「連合」芳野指導部は、この独占資本家どもによる物価引き上げを、「賃金も物価も経済も上昇するステージ転換」と称している。あたかもそれが、日本経済を〝好転〟させ労働者を豊かにするものであるかのように吹聴して、独占資本家どもの片棒を担いでいるのである。絶対に許すな！

大多数の労働者への低賃金強制を許すな！

今回の大手企業の回答に示された特質は以下のようなものである。

まず第一には、「満額」や「それ以上」の回答をおこなったのは、世界的に開発競争が激化しているＩＣＴ（情報通信技術）や宇宙開発、脱炭素などの先端技術開発を先導する独占企業であるということである。これらの技術はほとんどがいわゆる「軍民両用」の技術であり、その多くが軍需産業ないしその一翼を担っている企業である。

自動車、鉄鋼、電機などの独占体は、世界規模での「高度人材」の獲得競争に勝ちぬくために賃金水準を上げる必要に迫られ、今春闘において軒並み満額やそれ以上を回答している。軍需産業の中心をなす重機産業、炭素繊維や半導体ウエハーなどを製造する石油化学系素材産業、資源開発のプラント企業の諸独占体も同様である。これら「成長分野」と指定している企業に、岸田政権は、新たな種類の国債の発行（脱炭素技術の研究開発のために発行される「ＧＸ債」は十年間で二〇兆円という破格の規模）などを財源にした莫大な補助金を投入しようとしている。こうした政府の支援をうけて独占体は、「優秀な人材」を獲得するために相対的に高めの「賃上げ」をおこなったのである。

第二には、少子高齢化のゆえにいっそう深刻化する労働力不足のもとで、多くの製造業独占体や外食・サービス産業、小売りなどの大手企業が、若手の技能労働者や企画営業から現場のスタッフまでの幅広い人材の獲得競争をくりひろげていることである。そうであるがゆえにこうした大企業は、とりわけ高卒・大卒の新採者の賃金を一万～数万円アッ

全国各地・各戦線での闘いをビビッドに報道／政府の政策や反動イデオロギーのまやかしを徹底批判／理論＝思想創造の熱い息吹き——学習や研究論文も充実／内外の時事問題を解きほぐす分析・論評記事を満載！

『解放』販売書店一覧

●北海道

MARUZEN＆ジュンク堂書店札幌店	中央区南１西１
東京堂書店	札幌市北区北24西５
TSUTAYA木野店	音更町木野大通西12

●東京都

書泉グランデ	神田神保町
ジュンク堂書店池袋本店	南池袋
紀伊國屋書店新宿本店	新宿駅東口
模索舎	新宿２丁目
芳林堂書店高田馬場店	高田馬場駅前
オリオン書房ルミネ立川店	ルミネ立川８階

●神奈川県

有隣堂本店	横浜伊勢佐木町
有隣堂横浜駅西口店	ジョイナスB1階
有隣堂アトレ川崎店	アトレ川崎４階

●群馬県

煥乎堂本店	前橋市本町

●茨城県

やまな書店	水戸市大工町

●北陸地方

金沢大学生協	金沢市角間
うつのみや金沢香林坊店	香林坊東急スクエア
うつのみや金沢百番街店	金沢駅Rinto

●東海地方

MARUZEN＆ジュンク堂書店新静岡店	新静岡セノバ５階
ジュンク堂書店名古屋店	名駅３丁目
MARUZEN名古屋本店	栄丸善ビル３階
ウニタ書店	名古屋市今池
三洋堂書店いりなか店	名古屋市いりなか
愛知大学生協	豊橋市

●関西地方

丸善京都本店	京都BAL 地下１階
ジュンク堂書店大阪本店	堂島アバンザ３階
大阪経済大学生協	東淀川区
関西大学生協	吹田市

●九州地方

福岡金文堂本店	福岡市新天町
金修堂書店本店	福岡市草香江
宗文堂	門司区栄町
ジュンク堂書店鹿児島店	鹿児島市呉服町

●沖縄県

ジュンク堂書店那覇店	那覇市牧志
ブックスじのん	宜野湾市真栄原
朝野書房沖国大店	宜野湾市宜野湾
宮脇書店宜野湾店	宜野湾市上原
宮脇書店美里店	沖縄市美原
宮脇書店名護店	名護市宮里

（2024. 10 現在）

◎『解放』掲載の主要な論文や記事の一部をホームページで紹介しています。
革マル派公式サイト　http://www.jrcl.org/　E-mail jrcl@jrcl.org
◎ 解放社の出版物はＫＫ書房でも扱っています。
TEL03-5292-1210　http://www.kk-shobo.co.jp/　E-mail info@kk-shobo.co.jp

プさせている。これらの独占資本家どもは、人口減とりわけ若年労働者の不足をのりきるために、若年層労働者を獲得し定着させることを狙って一定程度の賃上げをおこない、これを大宣伝しているのだ。

第三の特質は、第一、第二のような大企業の特定の層以外の大多数の労働者の賃上げは、きわめて抑制されていることである。

「成長産業」でもなく政府の支援も得られない産業部門の企業では、大企業であっても賃上げはきわめて抑制されている。とりわけデジタル化のもとで郵便物量が激減している日本郵政グループなどは大手であっても、この物価高騰の持続と加速のもとで、労組のきわめて抑制した要求額の半分程度かそれ以下に抑えこまれているのだ。

大部分の中小企業においては、労働者の賃上げはさらに低額に抑えこまれている。すでに労組に回答をおこなった中小企業の多くは大手の半分以下の賃上げ額しか提示しておらず、未回答のところ、さらにはそもそも労組が要求を提出していない企業も多い。

大企業をふくむ多くの企業においては、すでに年功的賃金支払い形態が廃止され、五十歳代以上の労働者の賃金カーブは右肩下がりに設定されている。今年これだけ「満額」回答が喧伝されている大企業においても、これら中高年労働者の賃上げは若手に比して圧縮されているのである。資本家どもは、採用競争が激しい若手・新採労働者の賃金を上げても、総額人件費を極力抑制するために中高年労働者の賃金をいっそう低額に抑えこんでいるのだ。悪辣な資本家どもは、中高年層を、スキルアップが望めず、またデジタル化などに適応できないとみなし、彼らを早期退職に追いこむためにもこのような賃金政策をとっているのだ。

非正規雇用の労働者のほとんども賃上げはゼロである。イオンなど小売りや飲食業などの大手のいくつかの企業は、非正規雇用・パート労働者の賃金を引き上げたと宣伝している。だがこれらの労働者の時給は、これまで地域最低賃金のレベルにはりつけられているのであり、「七％」とか「五％」とかの賃上げ率といっても、時給にして数十円というきわめて小幅の賃上げにしかならない。それじたいも、今秋の最賃引き上げを見こしてあらかじめ上げておいて、みずからを〝良心的〟経営者としておしだすという姑息な意図にもとづいているのである。「賃上げ」といっても、貧窮のどん底から脱しうるものではなんらないのである。

第四の特質は、経団連も政府も、そして「連合」指導部も声を揃えて、今回の回答をことさらに「構造的賃上げ」などと称していることである。

岸田が提唱し・経団連もこれに倣っているこの「構造的賃上げ」なるものは、「付加価値」を多く生みだし生産性を向上させる能力をもつと経営者が認定した労働者以外はすべからく低賃金に抑えこむことを、あたかも賃上げであるかのようにみせかけるまったく許しがたい詭弁にほかならない。

資本にとって不可欠な高度人材とみなされた労働者にたいしては、――国際的獲得競争に勝ちぬくために――独占資本は最大数千万円単位の報酬を用意し、その確保に躍起となっている。そうであるがゆえに「総額人件費管理」を至上命題とする資本家どもは、それ以外の大多数の労働者にたいしては低賃金に抑えこむことに躍起となっているのだ。一律のベースアップや年功によって昇給する制度を最後的に一掃しようとしているのである。

独占資本家どもは、労働者がみずからの賃金を上げたければ、資本家の求める能力（ＩＣＴを使って新たなビジネスを開拓したりイノベーションを起こしたり、これらの技術を駆使して効率的に仕事を遂行したりする能力）を身につけるために、リスキリングやリカレントに励み、ランクの高いジョブ（仕事）につけ、と言うのだ。独占資本家どもがこうした人事賃金政策を強硬に貫徹しているがゆえに、大多数の労働者の賃金は実質的に切り下げられるばかりなのだ。

許しがたいことに、この「構造的賃上げ」と称する反動的な賃金政策の導入・貫徹を唯々諾々と受けいれ、下部組合員に犠牲に甘んじることを強制しているのが「連合」指導部にほかならない。彼らは、今春闘において「賃金と物価の好循環」が生みだされ「新しい経済社会」が到来するかのように喧伝し、資本家どもの一大攻撃の露払い役を務めているのである。

だが、産業の違い、企業規模の違い、年齢層の違い、雇用形態の違い、何よりも独占資本の求める高度技術や技能を保持しているか否かによって、労働者階級の内部に様ざまな賃金格差が政府や独占資本家によってつくりだされ拡大している。圧倒的多数の労働者は、低賃金と貧困にますます突き落とされているのだ。「満額回答」なるものの実相は、二極化というべき労働者間の貧富の差の飛躍的拡大と、それを基礎とした分断がもたらされていることなのである。

わが同盟と革命的・戦闘的労働者は本春闘において、超低率の「賃上げ要求」目安を掲げた「連合」指導部を弾劾し、「大幅一律賃上げ獲得」をめざして奮闘すべきことをすべての労働者に呼びかけてきた。われわれは、「構造的賃上げ」と称して大多数の労働者の賃金を抑制しようという政府・独占資本家階級の悪辣なもくろみを打ち砕くためにたたかってきた。まさにこのわが闘いを動力として、いま組合員のなかに大幅賃上げを求める声が、「スキルにもとづく賃上げ」ではなく「一律の賃上げ」を求める声が着実に拡がっているのである。

二四春闘をさらに戦闘的にたたかいぬこう！

「賃上げのための価格転嫁」要求の犯罪性を暴け！

二四春闘をたたかいぬいているすべての革命的・戦闘的労働者諸君！

「連合」芳野指導部は、中小企業労組の闘いのヤマ場を迎えたいま、「価格転嫁が今春闘のカギだ」「大手は価格転嫁を、中小は価格交渉を、政府は環境整備を、これが二四春闘のポイントだ」などと喚いている。許しがたいことに、中小企業労組が賃上げをかちとるために団結してたたかうのではなく、ただ大手企業と中小企業経営者の「価格交渉」とそれへの政府の支援をお願いすることに春闘をねじ曲げているのがこの労働貴族なのだ。

いやそれだけでなく、いまや最終製品の価格をつり上げることさえ提唱して、労組の側から物価高の尻押しをしているのが「連合」指導部にほかならない。芳野が労働者にたいして言っていることはただ一つ、「良いものにはそれなりの値段が付く。適正な価格がある」ということだけだ。急激な物価高で生活を圧迫され貧困を強いられ、大幅賃上げを求めて春闘に起ちあがっている組合員にたいして、賃上げのためには消費者として高いものを買え、などと言うのは春闘の破壊でなくてなんなのか！

芳野は昨秋来「価格転嫁は労使が同じ目線に立ってとりくめる領域だ」などと吹聴して、物価高を受容することを組合員に促し、資本家どもの値上げ策動に協力してきた。そうすれば企業は利益を高め、やがて賃金も上がり、「物価も賃金も上昇する好循環」が生まれるなどという大デマを組合員に振りまいてきたのだ。このような主張は、かつて安倍政権が喚いてきたインチキ「トリクルダウン論」の二番煎じでしかない。

労働者階級と、労働者を搾取する資本家階級との対立は非和解的であり、賃金闘争はこの階級と階級のぶつかり合いなのであって、資本家にたいして労働者が団結してたたかうことなしには、賃上げをかちとることはけっしてできないのだ。「物価高を甘受すれば賃金は上がる」などという芳野の言辞は、労働者を搾取し収奪し極限的な疎外を強いることによって肥え太る資本家の本性をおし隠し、彼らの〝慈悲〟への幻想をかきたてる大犯罪以外のなにものでもありえない。まさに「連合」指導部は、今春闘において労働者階級の敵としての本性をますますあらわにしているのだ。

＜大幅一律賃上げ獲得＞めざして闘おう！

すべてのたたかう労働者諸君！「連合は経営者と同じ方向を向いている」などと吹聴し、「日本全体の生産性向上」と「企業の生産性向上・改善」をめぐる政労使交渉および労使交渉に埋没してきた「連合」労働貴族。彼らは、いままた「継続的に賃上げができる環境を政策面と労使コミュニケーションの両面からつくっていく」などと強調し、労使協議や政労使協議に春闘を押しこめることに必死となっている。彼らは、コロナ感染拡大による収入減やそれにつづく二年にもおよぶ物価急騰に襲われてきた組合員のなかから――わが革命的・戦闘的労働者の各戦線における奮闘に支えられて――「大幅賃上げを」「一律賃上げを」の声が湧きおこりつつあることに怯えている政府・支配階級と、まさに「同じ方向」を向いているのだ。

いま世界的な物価高騰に怒る労働者が、アメリカで、ヨーロッパで、南米で、オーストラリアで、まさに世界中で賃上げを求めてストライキに起ちあがり実力で賃上げや労働時間短縮をかちとっている。ここ日本でも昨二〇二三年夏、そごう・西武労組がストライキをうちぬき、多くの労働組合がこれに絶大な共感を抱き、連帯・支援のとりくみをくりひろげた。耐えがたい貧困の拡大と既成指導部の闘いの抑圧にたいする怒りが、ストライキをうちぬきたたかうべきだ、という声へといま高まりつつあるのだ。

芳野は、「日本の企業内労組は交渉のやり方が全然ちがう」「労使一体で経営をチェックし、企業を発展させる考え方だ」とストにたいして嫌悪感をむきだしにし、その抑圧に躍起となってきた。この芳野指導部にたいする怒りの声が、いま「連合」傘下労組の組合員のなかから湧きあがっているのだ。わが革命的・戦闘的労働者が、下から「連合」指導部の抑圧を打ち破りつつ職場深部から闘いを着実につくりだしていることに、「連合」指導部は心底恐怖しているのである。

すべての諸君！ 今こそ〝政労使一体〟を標榜し、資本家どもによる物価引き上げを促進するキャンペーンへと春闘をねじ曲げ破壊する「連合」指導部を弾劾し、大幅一律賃上げ獲得をめざしてたたかいぬこう。

大手企業労組の労働貴族による低額妥結を弾劾しよう。中小企業でたたかう労働者は、企業・産別や雇用形態をこえて団結を広げ強化して、二四春闘を戦闘的にたたかいつづけよう。「仕事・役割・貢献度」基準や「ジョブ型」の賃金支払い形態の導入・改悪を許すな。産業構造・事業構造転換のあらゆる犠牲転嫁に反対しよう。解雇・転籍・配転の強制反対！ 非正規雇用労働者の賃上げ・労働条件の抜本的改善をかちとろう。裁量労働制の対象拡大や解雇の金銭解決制度の導入を阻止しよう。

「生活必需品・公共料金の値上げ反対！ 岸田政権による大増税・社会保障切り捨て反対！」の政治経済闘争と結びつけ、〈大幅一律賃上げ獲得〉めざして二四春闘を高揚させよう。

われわれは、この春闘のただなかで、岸田政権による大軍拡・軍事費大増額、日米軍事同盟の飛躍的強化に反対する反戦反安保の闘いを創造しよう。憲法改悪反対！ 今国会での改憲発議を阻止せよ！ 米—中・露の核戦力強化競争反対！

それと同時に、プーチン政権によるウクライナ侵略戦争に反対する闘いを、たたかうウクライナ人民と連帯して断固創造しよう。イスラエル・ネタニヤフ政権によるガザ人民虐殺に反対しよう。

これらの闘いを結びつけ、岸田ネオ・ファシズム政権の打倒に突き進め！

二四春闘の戦闘的高揚をかちとろう！

（二〇二四年三月十七日）

電機二四春闘を戦闘的にたたかおう

諸区松明子

電機連合のおこなった組合員＝正社員の家計調査においてさえこのようなありさまなのだから、電機産業で働く契約社員、派遣労働者、請負労働者などを含む全体をみるならばきわめて悲惨なのだ。さらにいえば、そもそも各電機資本家による賃金支払い形態の改悪とその導入・運用を全面的に支えてきた電機連合指導部の対応とによって、電機連合傘下の組合員たちの賃金は、各企業間でも各企業内においても格差が広がりつづけ、多くの電機労働者は低賃金を強いられてきたのである。二三年の物価高騰は、いま電機労働者の多くは生活がきわめて苦しくなっている。「貯金のとりくずしでやりくりした」という赤字世帯(二〇二三年)が過去七年間で最も多くなり、二五・三％に達している。特に家計負担が大きくなったのは水道・光熱費で、二一年と比べて二六％も大幅に増加している。食費の負担も増加しており、食料品の値上がりが家計を直撃している。携帯電話料金などの通信費や子どもの教育費、生命保険の掛金、住宅関係費などを節減してどうにかしのいだのが実情である。

低賃金に抑えこまれつづけてきた彼ら労働者をさらにいっそう貧窮化させたのだ。

元日に発生した能登半島地震の被災人民への対応において、岸田政権はその人非人性をあらわにした。ただちに被災の状況を集約することも救援の体制をとることもせず、〝志賀原発には問題ナシ〟という情報だけは流しつづけ、自衛隊には米・韓などと予定していた演習をそのまま実行させた。まさに被災人民の見殺し・切り捨てといわずして何というべきか！　また多くの労働者・人民が疑念をかきたてられ怒っている「政治資金パーティー」疑獄については何ひとつこたえることもなく、派閥の看板を「政策集団」へとつけかえ、名ばかりのアンケートと聞きとりでお茶を濁して幕引きをはかろうとしているのだ。まったく許せないではないか！

われわれは今二四春闘を〈大幅一律賃上げ獲得！　首切り配転攻撃粉砕！　軍需生産拡大反対！〉を掲げて戦闘的にたたかおうではないか！　そのただなかで反人民性をあらわにしている岸田ネオ・ファシズム政権をうち倒すことをも呼びかけていこう。

Ⅰ　事業大再編下の電機二四春闘

一　政府の半導体・軍需産業テコ入れに色めきたつ電機独占資本家

日本の電機諸独占体は今、米・中露激突下でアメリカとともに中国を排除した先端半導体のサプライチェーンづくりと軍需生産体制の強化をめざす岸田政権の全面的バックアップのもとに、最先端半導体の開発・製造と軍需生産の拡大にむけて猪突猛進している。

①世界最大の半導体受託生産会社ＴＳＭＣ（台湾積体電路製造）の熊本第一工場の開所により、熊本は〝半導体バブル〟に沸いている。ＴＳＭＣは熊本第二工場の建設予定も発表し、それらの運用子会社であるＪＡＳＭにはＴＳＭＣのほかソニー、デンソー、トヨタも出資する。ＥＶ（電気自動車）や自動運転に必要な高機能半導体を製造する二つの工場をあわせ

た総投資額は二兆九七〇〇億円にのぼる。このうち一兆二四六〇億円は経済産業省が補助金として出す。アメリカにおける半導体工場の建設が補助金交付の遅れによって遅延するなか、補助金を湯水のごとく注ぎこんでいっきに日本を半導体産業の集積地（米・日・韓・台による半導体サプライチェーンの構築・強化の一環としてのそれ）とすることを目論んでいるのが、政府・経産省なのだ。熊本ではＴＳＭＣを中核として東京エレクトロン、フェローテック、富士フィルム、荏原、ＪＣＵなどの企業も新工場をたちあげている。こうした熊本のコンソーシアム（企業連合）や、〝日の丸最先端半導体〟開発・製造の「国策会社」ラピダスを中核とした北海道のそればかりではない。

東芝とロームは政府の経済安保推進法にもとづく一二九四億円（これは総投資額の三分の一にあたる）の助成をうけ、東芝（石川県能美市）とローム（宮崎県国富町）の工場において、パワー半導体の連携生産にのりだしている。キオクシアと米ウエスタンデジタルが共同でおこなう先端半導体メモリの量産体制強化では、二社の総投資額七二九〇億円のうち、経産省は三分の一にあたる二四三〇億円の補助を決めている。

②政府の防衛予算の対ＧＤＰ（国内総生産）比二％への大増額にあわせて、電機独占資本家の多くは軍需生産体制の強化にのりだしている。なかでも突出しているのが三菱電機である。三菱電機は昨二三年十月、オーストラリア国防省と防衛装備品の共同開発事業の契約を結んだ。日本企業が外国政府と軍需生産分野で直接契約を結ぶのは初めてであり、防衛省は「両国の防衛装備・技術協力にとっても象徴的な事例となり、更なる協力の深化に資する」と絶賛した。オーストラリア軍の戦闘機や車両に搭載することを想定し、双方のレーザー技術を組みあわせて警戒・監視する装備品の試作を決めている。また米ＲＴＸ（旧レイセオン）には艦船用レーダー（ＳＰＹ－６）の電源装置を納める。日本政府とは長射程ミサイル開発についても契約をしている。

長年にわたって軍需生産をおこなってきた三菱電機は、レーザーやレーダーシステム、誘導弾、人工衛星など軍需・宇宙事業の生産能力をいっきに増強している。尼崎・鎌倉などの四拠点に七〇〇億円を投入して設備を増強するとともに、配置転換などを含めて約一〇〇〇人の増員をおこなおうとしている。ＮＥＣもまた軍需生産・デュアルユース（軍民両用）品の生産拡大にのりだしている。府中工場に二〇〇億円を投入して新棟建設をすすめ、人員も通信事業からの配転により約一〇〇〇人の増員を予定しているのだ。

岸田政権はアメリカの対中包囲網の中心的役割を担うために「防衛予算」の大増額をおこなうとともに、あらためて民間企業にたいして軍需生産を奨励している。これにたいして、デュアルユース品の製造によって一定の市場の確保と収益の安定化を追求しつつ積極的に応じているのが電機資本家どもなのだ。各社は地方工場の再編をおこないつつ、軍需生産部門へと労働者を配置転換している。いま政府が制定を目論んでいる「セキュリティ・クリアランス（適性評価）」制度によって、こうした部門に従事する労働者には〝機密保持〟〝家族を含む身辺調査〟〝病歴〟〝経済状況〟などきわめて厳しい制約が課される。こうした審査に適合しないとみなされた労働者は放逐される。たとえ審査に適合したとしても「機密情報」を漏洩したとみなされた場合は「最高五年の拘禁刑」に処されるのだ。

二　ＤＸ・ＧＸ推進――事業再編に伴う売却、人員削減、解雇・配転攻撃

富士通は二三年度に光電融合関係の技術をもつＦＡＴＥＣをＮＴＴの資本注入をうけグループから切り離した。半導体用のパッケージ基板の生産をおこなう新光電工は産業革新投資機構（ＪＩＣ）へ売却した。さらに空調機器を製造する富士通ゼネラル、電池生産のＦＤＫの売却を予定している。他方、中核のＩＴ事業においてはマイナンバーカードを使った証明書のコンビニ交付サービスの誤交付など、不具合が頻発している。二二年には三〇〇〇人を越える人員削減がおこなわれ、残された労働者は疲弊しきっている。「ジョブ」型人事制度が導入され〝貢献

度・行動・成長〟で労働者は評価され、その多くが低賃金を強いられている。そのうえ絶えざるスキルアップや自己啓発も要求される。また上司からの評価が低い場合には降格や降給もある。これらの許しがたい労務管理をおこなう経営者とその経営方針を全面的に支え組合員に貫徹しようとする労組指導部にたいして、多くの労働者は怒りや不満をかかえ肉体的にも精神的にも悲鳴をあげている。こうした状況で数々の〝失敗〟〝不具合〟が発生するのは当然だ。

日立もまた国内グループ企業の売却（日立化成、日立金属、日立建機、日立マクセル、日立物流、クラリオンなど）を加速させてきた。「ＤＸ」市場における「ソリューション事業」に注力すると称して、アメリカのＩＴ企業を一兆円で買収した他方では、国内グループ企業の労働者の切り捨てをおこなっている。

電機資本家どもは岸田ネオ・ファシズム政権がおしすすめる大軍拡や「ＤＸ・ＧＸ」にかかわる諸政策を、そしてそれにともなう莫大な補助金の垂れ流しを絶好のチャンスととらえ、自企業の事業構造の再編を断行し、すべての犠牲を労働者に強いている。日立、東芝、ＮＥＣ、シャープ、富士通などで横行しているのは、いわば〝ステルス解雇〟とでもいうべき事態である。

資本家が子会社をグループ外の企業・ファンドに売却する場合に、自社の「成長戦略」にのっとった株式譲渡の問題として発表する。これを労働貴族の側もオウム返しにするだけで、そこで働いている組合員の雇用や労働条件がどうなるのかについてまったく触れない。自社の生き残りと「成長」のためには当然の「施策」としてとらえているのだ。いまや同じ企業グループで働く組合員にもまったくわからないかたちでの解雇・転籍が横行している。しかもテレワークが「ニュー・ノーマル」となった大企業では、組合員はポツンとひとりで自宅のパソコンの前にいるだけで、横のつながりはまったく断たれてしまっている。資本家による〝ステルス解雇〟をも「キャリアローテーション」などと言いなして容認し後押ししているのが「労使協議」にうつつをぬかす電機労働貴族どもなのだ。

三　労使協議に埋没する電機連合指導部と革命的労働者の闘い

電機連合指導部は一月二十五日の中央委員会において「積極的な『人への投資』により実質賃金の向上を図るとともに、経済の好循環への転換を着実なものとする」という二四年闘争の基本方針を掲げた。要求内容としては「開発設計職基幹労働者」の「賃金改善額一万三〇〇〇円以上」を掲げた。中央委員会直前の会見において、委員長・神保政史は「賃金体系維持分の平均は七〇〇〇円程度」なのだからそれをプラスすると「二万円以上」になる、とあえて「賃金体系維持分」を合算するという〝異例〟の押し出し方をした。そして長年お蔵入りにしてきた「日本のリーディング産業」という文言をもちだして「日本のリーディング産業として労働者への賃上げの社会的波及、経済の好循環実現にとりくんでいく」とアピールしてみせた。

組合員の生活実態調査(二三年)では、月例賃金が増えても「生活水準の維持」に「不十分」だったという声が、昨年や一昨年よりもさらに大きくなり三四・三%にも達している。労使一体となって賃金を低くおさえこんできた電機連合指導部も、こうした組合員の不満の高まりをまえにして、しかも政府・資本家どもの「デフレ脱却」を掲げての価格つりあげに呼応して「デフレマインド」払拭を目論んで、今年は「実質賃金の向上」を口にせざるをえなくなっているのである。

「全労連」系の「電機・情報ユニオン」は、今二四春闘の要求として「誰もが『一〇%・三万円、時給一九〇〇円』以上の賃上げを!」という要求を掲げている。アンケートの結果では「一五%・五万円以上の賃上げ」を要求する声が多かったにもかかわらず、「全労連」の方針どおりの低い要求を掲げている。要求の基礎づけとして「日本は世界のなかで経済成長できない国」となっているので「賃金の底上げで日本経済の再生を」と言う。政府・資本家・「連合」労働貴族と同じく、あるべき日本経済の成長をもとめて賃上げを要求するという腐敗した姿をあらわにしているのが、彼ら日共系ダラ幹なのだ。

こうしたなかでわれわれ革命的・戦闘的労働者は日々の職場活動をつうじて、組合員や非正規雇用の仲間と生活上の困り事や仕事上の悩み・怒りなどを共に出しあい、一緒に考えながら彼ら組合員との信頼関係をつくりだしている。決起集会も職場集会も職場委員会もリモート化され、普段の業務もテレワークが多いという、組合員と顔をあわせて話をすることじたい非常に困難な状況を創意工夫してつきやぶっているのだ。

電機資本家と電機連合指導部によって労働者はもっぱら、経営者に強制された自分の「キャリアビジョン」なるものにのっとってスキルアップに邁進するようにしむけられている。われわれは、労働者が個々バラバラに分断されて壊されている組合運動の基盤をつくりなおしていくという固い決意のもと、組合員のみならず雇用形態の異なる労働者への働きかけをもおこないつつ今二四春闘をたたかっている。

また、電機連合指導部が反戦平和のとりくみを放棄するなかで、ウクライナ反戦やイスラエルによるパレスチナ人民虐殺に反対する闘いを創意工夫しながらすすめているのだ。

Ⅱ　職場から賃闘・解雇攻撃粉砕の炎を！

大幅一律賃上げをかちとろう

われわれは、今二四春闘において、まず第一に電機連合指導部の超低額要求を弾劾し、「大幅一律賃上げ獲得」をめざして奮闘しようではないか！

電機連合指導部は統一要求基準として「A 開発・設計職基幹労働者の賃金水準改善額一万三〇〇〇円以上」と「B 産業別最低賃金（十八歳見合い）一八万四五〇〇円以上、一万一〇〇〇円引上げ」という超低額の要求を掲げている。Aは中央闘争委員会を構成する十二労組が、それぞれの企業において「開発・設計職」という職種で最も賃金水準の上昇が見込まれる個別ポイント（年歳見合いでは三十歳程度）を選んで電機連合に登録する。産別労使（大手六労使で構成）の交渉はこの個別ポイントの賃金水準についてのみおこなわれる。それゆえ個別ポイントの賃金水準が上がったとしてもすべての労働者の賃金が上がるわけではまったくない。個別企業の労使交渉では、業績や「人事・賃金制度」の実態にふまえて「主体的に」交渉せよ、というのが電機連合の指導なのだ。

各社の労働貴族は、ごく一部の専門職の賃金が「グローバル基準」と称してハネあがっている他方では、まったく低賃金のままに据え置かれる多数の労働者が存在するという二極化を容認し、これを促進するような要求さえしているのだ。すでに多くの企業では、「定期昇給」の制度そのものが一掃され、同じ職種や職務・仕事を続けているかぎり〝賃上げ〟はない。しかも日立・富士通など「ジョブ型人事制度」が導入されている企業では、「評価・査定」によって労働者に降給・降格の賃下げが不断に強制される仕組みを労組指導部が容認しているがゆえに、資本家による労働者への賃金切り下げは、難なく貫徹されてしまうのだ。まったく許せないではないか！

要求のBは電機連合指導部が電機資本家どもに拒否されながらもなんとか掲げつづけている要求である。電機独占資本家どもは春闘交渉のたびに「産別最賃は必要ない」と傲岸にも言い放ち、中小企業や製造現場の労働者の賃金を徹底して抑えこむ姿勢を露骨に示してきた。他の製造業高卒労働者の賃金と比較しても電機労働者の賃金は低い。二二年には「産別最賃」が「地域別最賃」をも下回る結果にいたった。これにあわてた電機連合指導部は、中小企業労組の組合員たちの反発を恐れて、なんとか「産別最賃」だけは残したいと資本家どもに懇願し、「産別最賃」を「高卒初任給」の賃金水準とするよう今後調整することで合意した。とはいえ、このことはこれまで電機連合指導部が資本家どもの経営方針・施策を組合員に貫徹することに注力し、電機産業内の中小企業や非正規雇用の低賃金労働者の低賃金を放置してきたことの弥縫策にすぎないのだ。

われわれは電機連合指導部の低額の賃上げ要求を許さず、「ジョブ型人事制度」の導入・改悪に反対し、すべての労働者の「大幅」で「一律」の賃上げをめざして、職場から活発な論議をくりひろげてたたかっていこう。

リスキリングの強要と解雇・配転攻撃を打ち砕け！

第二に、われわれは、電機資本家と一体となって労働者に「リスキリング」を強要する電機連合指導部を許さず、解雇・配転攻撃を団結してうち破ろう！

電機連合指導部の掲げる二四春闘要求のなかでもとりわけ反労働者的であるのは、「リスキリングを含むキャリア形成支援の取り組み」である。彼らはこれを「統一闘争」の「とりわけ強化する項目」として掲げている。それは、「人的資本経営」を標榜し自企業の「グローバル化」と「持続的な成長」のために、新たな技術に対応できる労働者の獲得・育成に起死回生策を求めている電機独占資本家どもの労務政策を、電機連合の側から積極的に下支えするものにほかならない。見よ！　電機連合が作成した図(一二八頁)はすべて経営側の視点から描かれ、経営側の人事部門が作成したものと見紛うばかりではないか！

しかも電機連合指導部はこの図を詳しく解説して①～③までを「統一目標基準」として、④を「到達項目」として設定している。「①意識改革」では「1on1ミーティングの実施や研修などをつうじて、事業の方向性、人材育成、能力開発方針や必要なスキル・行動に関する共有をはかる」「各労働者のキャリアビジョンやキャリアプラン、スキル・能力のすり合わせをおこない、自律的なキャリア形成に向けた職場風土の醸成と一人ひとりの意識改革につなげる」としている。また「②リスキリングを含む能力開発」については、「アップスキリングはもとより、リスキリングのための能力開発・自己啓発などの学びの機会提供のための環境整備」を掲げている。

①も②も電機連合指導部の指導内容は文字どおり企業の労務政策の引き写しであって、きわめて許し難い。なかでもダントツで許せないのは「③習得した能力を発揮できる機会の提供」で述べていることだ。「キャリアローテーションなど職場内外において、個々の能力を発揮または挑戦できる機会や場の提供に向け検討する」と平然と言ってのける。様ざまな「能力開発」をおこなったとしても、その労働者が当該職場で「能力」を発揮できないときは、社外に放逐する場合も、他部署への配転もあることを当然のこととして受け入れよ、というのが電機連合指導部の組合員への指導なのだ。しかもこれを二四春闘の「強化項目」として「労使」でみっちり協議することを、電機連合傘下の全労組指導部にたいして指令しているのだ。

「④学びの時間や費用を確保するための環境整備」では「キャリア形成に資する制度」として「休暇・休職制度、短時間・短日勤務、金銭的支援、社会・地域貢献のための休暇」などをあげている。大手組合ではすでに導入ずみの場合もあるが、そうで

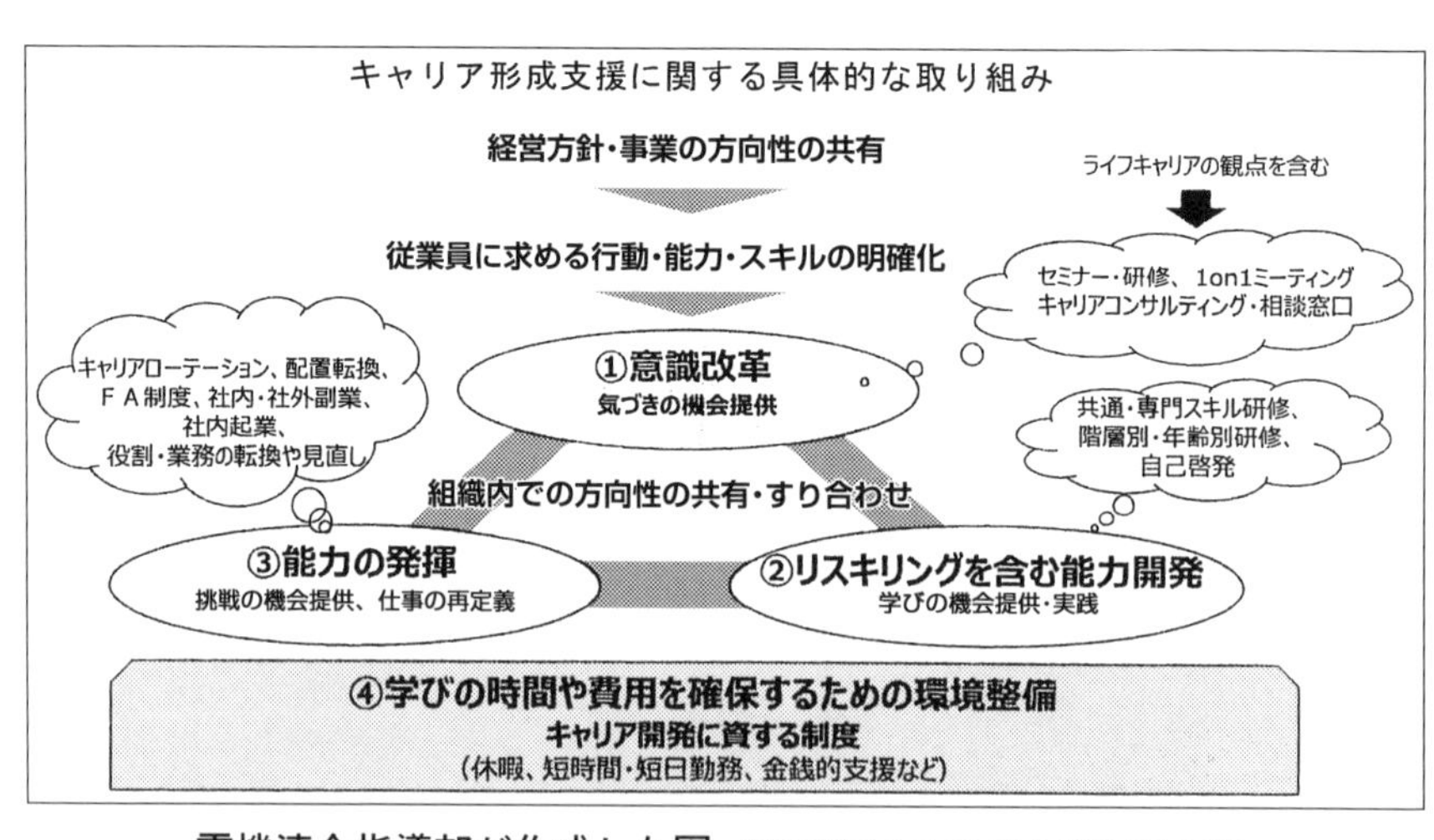

電機連合指導部が作成した図（第110回中央委員会議案書より）

ない組合も多いがゆえに、さしあたり「基準に未到達の組合がその水準への到達をめざして取りくむ要求項目」として掲げている。しかも、この④は個別企業労使のみならず、対政府・対省庁要求でもあると位置づけ、電機連合の「制度・政策要求」の「提言」として、政府に「ビジョンと戦略の策定実行」を要求している。そして、政府が「リスキリング支援」策として五年間で一兆円の予算を組んだことをみずからの成果としておしだしているのが彼ら電機労働貴族なのだ。

電機連合指導部が経営側と経営方針・事業方針を共有し〝従業員〟として必要なスキルを「労使協議」をつうじて明確化し、たえざる自己啓発・アップスキリング・リスキリングをあたりまえのこととして労働者に刷りこみ、意識をつくりかえていく。それによって経営側と労組側が手を組んで事業構造の転換にともなう配転や企業外への放逐・転職を「キャリアローテーション」などと称して無慈悲におしすすめるというまったく反労働者的な方針を鼓吹しているのが、電機連合指導部にほかならない。

じっさい電機連合による労働者のアンケートからでさえ、悲痛な声がもれでている。「今の働き方が続くと体がもたない」「心の病になる」「能力がついていけない」という声が半数を占め、「人員不足で技術等のひきつぎが困難」という声は七割にものぼっている。ぎりぎりまで人員を削減され、毎日必死の思いでなんとか業務を続けている労働者にたいし、さらに「自己啓発だ」「リスキリングだ」などと一体いかなる感覚で言いうるのか！　そしてスキルアップできていないと経営者から烙印された労働者は、その職務から引き剥がされ転職や派遣労働者への転身を迫られるのだ。まさに電機連合指導部は、政府・資本家どものめざす「円滑な労働移動」「三位一体の労働市場改革」の先兵として立ち回っているのである。われわれは、こうした解雇・配転攻撃に協力する電機労働運動をつくりかえるために、各職場において奮闘しなければならない。電機連合指導部の反労働者性を暴きだすイデオロギー闘争を強化し、多くの仲間をつくりだして、解雇・配転攻撃を断固粉砕しよう！

中小企業労組の賃上げ闘争を強化しよう

第三に、われわれは、中小企業労組の賃上げ闘争を「政策・制度要求」の政府への請願へと解消する電機連合指導部を許さず、すべての仲間は団結して二四春闘を戦闘的にたたかいぬこう！

今二四春闘において、電機連合指導部は「適正な価格転嫁」のとりくみを「日常の取り組みに加え、闘争時に強化する項目」として掲げている。「労務費の適正な価格転嫁を進めるなど賃金水準引き上げに向けた環境整備にとりくむ」という。彼らの眼目は「環境整備」にある。

電機連合指導部は「電機産業はあらゆるサプライチェーンの一翼を担っており、企業規模を問わず受注側にも発注側にもなる」という認識のもと、政府・省庁にたいする「政策・制度要求」のひとつとして「付加価値の適正循環に向けた環境整備」をあげてきた。「下請法の資本金要件撤廃」や「独占禁止法の制度・運用の改善」「公取委の体制強化」などを要求してきた。また「パートナーシップ構築宣言」についても、政府にたいして「目的・意義を今一度企業に周知・徹底」することを求めてきた。二〇二〇年から始めたこのとりくみで、電機連合加盟組合がある企業の参加はまだ八十四社のみ。しかも彼らは労使協議のなかでこの「宣言」を発して「サプライチェーン全体の共存共栄」をアピールすることを経営者に要請するよう指導している。しかし、大企業の下請単価切り下げ要求は陰に陽につづけられており、いつ淘汰されるやもしれぬ中小企業経営者はその犠牲の一切を労働者に転嫁している、このことにたいする闘いの指導を放棄しているのが電機連合指導部だ。

電機連合指導部は今春闘では、内閣官房・公正取引委員会のうちだした「価格転嫁を促すための指針」を春闘の「労使協議」のなかで理解してもらい、「発注者」としてあるいは「受注者」として「採るべき行動／求められる行動」を守るようお願いすることを強調し、このことに中小企業労組の賃上げ闘争の一切を解消しようとしている。だが、このように中小企業の大企業にたいする「価格転嫁」（企業間の商取引き）の〝改善〟を労働組合じしんが要求することは、賃金を企業のうみだした「付加価値」の分け前（「賃金原資」）とみなすブルジョア的俗論で労働者を洗脳する犯罪いがいのなにものでもない。そもそも中小企業経営者は、納入単価を引き上げたからといって労働者の賃金を上げるわけではまったくない。しかも、阿漕に「定常的な値下げ要求」をしてくる電機の大企業に、この要請がどれほどの効き目があるというのだろうか。じっさい大企業の購買・資材調達部門を担う労働者は、少しでも安価な商品やサービスを発注することを資本家から強制されており、それをいかに成し遂げるかによって査定・評価され、賃金も上下するのだ。中小企業の労働者も同様だ。

われわれは賃上げ闘争を「労使協議」「政策・制度要求」へと解消する電機連合指導部を許さず、すべての労働者の連帯・団結によって中小企業労働者の賃上げをかちとるために、春闘の最先頭でたたかいぬこうではないか！

軍需生産の拡大と大軍拡に反対しよう！

われわれは、第四に、今春闘において、右のような賃上げ闘争と解雇・配転反対闘争をおしすすめると同時に、軍需生産の拡大と軍拡大増税に反対する政治経済闘争や、岸田政権の大軍拡・改憲を阻止する闘いを断固としておしすすめようではないか。そして、これら一切の闘いを集約して、大軍拡・改憲につきすすむ岸田ネオ・ファシズム政権をうち倒そう！

それだけでなく、われわれは、職場深部からロシアによる侵略・占領に抗して不屈に闘うウクライナ人民と連帯して〈プーチンの戦争〉をうちくだく闘いを大きく創造しよう！　イスラエルのジェノサイド攻撃に反対する闘いをつくりだそう！

二四春闘の戦闘的高揚のために、すべての電機労働者は、他産別の労働者ともガッチリとスクラムを組み奮闘しよう！

自動車総連「二四年総合生活改善方針」の反労働者性

根本省吾

産業基盤強化のための労使協議への歪曲を許すな

イスラエル・ネタニヤフ政権によるガザ人民のジェノサイドと中東全域への戦火の拡大、二年にもわたるロシア・プーチン政権によるウクライナ侵略と米中の政治的・軍事的・経済的（サプライチェーンの再編を含む）角逐の激化。世界大の戦争が勃発する危機がいやましに高まっている。

こうした危機の渦中にあって、日本独占資本家どもは「構造的な賃上げ」という聞き心地のいい看板を掲げ、「成長と分配の好循環」を実現するなどと唱えている。だが、過去三十年にわたる日本経済の停滞、国際的地位のドラスティックな低落を打開するために、彼らは中国や欧米諸国との経済的争闘にうちかつことのできる産業基盤の再編成とこれを担いうる労働者の確保・育成、確保・育成した労働者にたいする極限的な労働強化を強制しようとしているのだ。

にもかかわらず、「連合」指導部は今二四春闘を「経済も賃金も物価も安定的に上昇する経済社会へとステージ転換をはかる正念場」だなどとこれに唱和している始末なのだ。この「連合」指導部を支え、操っているのがUAゼンセンやJCM（金属労協）などの労働貴族どもである。

なかでも悪質なのが、六年連続して賃上げ要求基準の設定を見送った自動車総連労働貴族どもなのだ。彼らは、高騰する物価のもとで困窮する労働者の「賃金をあげろ」という声に公然と敵対しているのだ。われわれはこれに抗して二四春闘の戦闘的高揚のために奮闘するのでなければならない。

「絶対額を重視した取り組み」の名による賃上げ闘争の否定

自動車総連は二〇二四年一月十一日、「高めよう産業の価値！　ともに築こう豊かな社会！　希望溢れる未来をめざして」なるスローガンのもと、第九十一回中央委員会を開催した。この中央委員会および採択された二四春闘方針の特徴は、以下の点にある。

第一には、中央委員会開催時点で社会的にも問題となっていたダイハツ工業の前代未聞の不祥事（生産しているすべての車種で認証の不正をおこなっていたこと）について、会長あいさつでも、春闘方針をめぐる討論のなかでも、また参加していたダイハツ労連の組合指導部自身も一言も言及しなかったことである。彼らは「臭い物に蓋をする」という態度に終始した。沈黙によって、独占資本家どもの責任をいっさい問わないことを表明したのである。

第二には、今春闘の意義を「自動車産業労使が日本の主要な基幹産業としての役割と責任を果たしていくことにある」とし、その内容として、①日本経済をよくするけん引役となる、②労働力不足を解消するため産業の魅力をたかめる、③働く者の生活と労働の価値を守る、という三点を掲げていることである。労働者の生活の向上はあくまでも日本経済、産業の発展に従属するものとおしだしているのだ。

第三には、賃上げについては要求基準の設定を六年連続で見送ったことである。生活苦にあえぐ多くの労働者の声を意識して、ＪＣメタルさえも「一万円以上」の賃上げ要求基準を掲げ、基幹労連なども「大手がパターンセッターとなり、中小へ波及させ、春闘相場をひきあげる」としているにもかかわらず。会長・金子晃浩は「二〇一九年から賃金の取り組みを〝上げ幅〟から〝絶対額重視〟に変更した」「本年も『絶対額を重視した取り組み』を変えるべきではない」と傲然と居直ったのである。彼らは、〝上げ幅重視〟の要求を労働組合が賃上げ要求の額（率）を横並びで掲げることであるとみなし、これを忌み嫌っているのである。それはこのかん自動車労働貴族どもが追求してきた賃金闘争としての春闘の否定を、インフレ下でもあくまで貫くとした意味をもつ。

第四の特徴としては、賃金要求について、①企業内最低賃金（月給）の要求を一七万三〇〇〇円から一八万円にひきあげること、②年齢別最低賃金保証について五十歳、五十五歳も新設すること、そして③目指すべき賃金水準を上方修正することをおしだしていることである。これらは総連として賃上げ要求基準の設定を見送ったことを糊塗するものにほかならない。

第五の特徴としては、「〔二三春闘において〕企業規模が小さい中小組合ほど、賃金引き上げの獲得に至らなかった組合や、要求から大きく乖離した回答となった組合があった」として、「価格転嫁を含む企業間取引の適正化」を主張していることである。

相次ぐ認証不正とリコール―労働者への犠牲転嫁を許すな

トヨタグループの中核である日野自動車、ダイハツ工業、豊田自動織機各社において、車両の安全性と性能を保証するはずの認証を不正な方法でおこなってきたことが次々と発覚している。日野自動車、豊田自動織機はディーゼルエンジンの燃費や排ガスの検査データを虚偽のデータに差し替え、実際には排ガス規制に適合していないにもかかわらず、その性能をごまかしていたのだ。両社とも史上はじめて車の型式指定を取り消されるという事態に陥っている。ダイハツでは生産している六十四車種すべてで、エアバッグの安全性の検査など二十五項目にわたって、一七四ヵ所もの認証不正がおこなわれていたのだ。

認証不正の問題だけではない。トヨタ系最大で世界第二の巨大部品メーカーであるデンソー社製の低圧燃料ポンプの欠陥でトヨタ自動車は四度、ホンダにいたっては六度もリコールをくりかえし、最終的には全世界でリコール台数は一六六六万台にものぼっているのだ。この対応の遅さゆえに二三年七月には鳥取県の高速道路上でエンジンが停止してしまったホンダ製のリコール該当車にトラックが追突し、後部座席にのっていた高齢の男性が死亡するという悲惨な事故さえ引き起こされてしまっているのだ。さらにトヨタ系第二の部品メーカー・アイシンでも米国子会社製のエアバッグのセンサーの不具合による一〇〇万台のリコール、愛知製鋼の特殊鋼の不良、さらにはトヨタ自動車系列の販売店での六〇〇〇件におよぶ車検不正。

まさにトヨタグループを始めとした日本車の安全性と品質の高さという神話が音を立てて崩れ始めていると言っても過言ではない。

その根本的な要因は、自動車独占資本家どもが「EV戦争」とも呼称される国際的な次世代車の開発・生産競争に、「ヒト、モノ、カネ」の一切を投入してきたことにあると言ってよい。ディーゼルエンジン（日野自動車、豊田自動織機）や最も小型のAセグメントの乗用車（ダイハツ）の開発・生産、燃料ポンプ（デンソーはエンジン部門を丸ごと愛三工業に売却・移管している）の欠陥など、問題をおこしたのは、トヨタ自動車（デンソー）本体が次世代車の開発に注力するために子会社に売却し、生産を移管したものばかりにほかならない。HV（ハイブリッド車）、

ＰＨＶ（プラグインハイブリッド車）、ＥＶ（電気自動車）、ＦＣＶ（燃料電池車）など多様なパワートレインを開発・生産するという「全方位戦略」（マルチパスウェイ戦略）が、いかにそこで働く現場労働者に負担を強いるものであるのか、を赤裸々にしめしたものにほかならない。

ダイハツ工業では認証にかかわる人員は十年前と比較して三割に減らされていたが、今回、国土交通省に届け出た「改善提案」では人員を七倍に増やすというのだ。ふざけるな！　自動車独占資本家どもが、いかに労働者を酷使してきたかはこの一事で明らかではないか。

この問題の解決を「風通しのいい職場」づくり（全トヨタ労連会長・西野勝義）に歪曲したり、沈黙したりする（総連中央）ことを許さず、断固弾劾しようではないか。ましてやダイハツ工業で働く労働者への「ベースアップ・ゼロ」の強制など一切の犠牲転嫁を許してはならない。（電気自動車の開発競争において日本自動車独占体は明らかに出遅れている。この問題については別に論じたい。）

「魅力ある産業づくりのための労使協議」への歪曲を許さず大幅一律賃上げをかちとろう

自動車職場では一昨年から続いていた半導体部品の供給不足が解消し、繁忙を極めている。トヨタ自動車では一日当たりの生産台数が一万四五〇〇台という高水準の生産が続いており、二二年度平均の一万六〇〇〇台から三五％も増加しているのだ。系列下の下請け企業ではコロナ禍で人員を減らしてきたがゆえに、さらに過酷な状態が続いている。人手不足のなかで派遣労働者の採用もままならないばかりか、労働のあまりの過酷さゆえに多くの青年労働者が退職を余儀なくされているのだ。

自動車独占資本家どもは、円安や北米市場での自動車価格のひきあげ、販売増によって空前の利益をあげている。にもかかわらず、自動車メーカーの各労働組合は日産一万八〇〇〇円、ホンダ二万円など五％強のきわめて自制的な賃上げ要求を掲げている。たとえ満額かちとったとしても、実質賃金の低下をもたらすものでしかないのだ。しかもこの額要求は賃上げ分と定昇相当分の区別をなくした総額方式であり、配分については、それぞれの資本の「仕事・役割・貢献度」にもとづく賃金支払い形態によってなされるのである。したがって大多数の労働者にとっては賃下げしか意味しないのだ。

とりわけ、犯罪的なのはトヨタ自動車労組指導部である。彼らは労組の側から労働組合員を四つの職種と五つの職能資格を基準にして十七ランクに区分けし、事技職・指導職ランクは二万八四四〇円、業務職三級ランクは八一四〇円などと、同じ組合員でありながら三倍以上の格差をつけて要求しているのだ。しかもこのランクの額を基準として経営者が労働者個人をAからEまで五段階に査定して配分することを認めているのだ。

こうした賃金要求をトヨタ労組の労働貴族どもは「人材定着の観点で、事技職・指導職は競合他社にたいして優位性をもつ必要がある」「労働市場の変化も念頭に重点的配分をおこなう」などと根拠づけているのだ。まさに経営者どものための、ソフトウエア開発者やデータサイエンティストなど先端の技術・技能をもった一握りの労働者を確保するための賃金要求でしかないのだ。こうした賃上げ要求は、労働者個々人が経営者にいかに認めてもらうのかを競い合うことを促すものであり、労働者の階級的団結を阻害し、分断を促すものでしかないのだ。

それだけではない。トヨタ労組指導部は今春の交渉の第一の目的を「自動車産業とトヨタの持続的成長のために何をなすべきか」「具体的行動や産業全体への波及を目指す」としているように、交渉の焦点は経営者どもの今後の追求にいかに協力していくのかという点なのだ。具体的には来年度からはじまる自前の電池生産にともなう四勤二休の勤務体制の導入や工場再編、人員の移動、また人員不足を補うための短時間労働の導入、さらには二六年からはじまる「BEVファクトリー」を軸とした電気自動車の本格的生産と産業の再編成（サプライチェーンも含む）案について、各企業経営者が労働組合役員の協力などを取りつける場となろうとしているのだ。

下請け企業の原材料価格や労務費の上昇分の製品価格への転嫁という要求も、こうしたサプライチェーンの再編をスムーズにおしすすめていくためのものにほかならない。「価格転嫁」を要求するといっても、彼らは、昨年十一月末に公正取引委員会が決定した「労務費の適切な転嫁のための価格交渉に関する指針」に依拠して、〝価格転嫁の協議の場〟を設けることにこそ重点をおいているのだ。トヨタをはじめとする自動車独占体が、「価格交渉」を名分として下請け諸企業に、品質向上やさらなる納期短縮の要求を押しこもうとしていること。これに呼応しているのが自動車総連労働貴族どもなのである。（ちなみにこの指針では労務費の転嫁率のワーストワン、ツーが自動車整備業、輸送用機械器具製造業であると暴露されている。）

また、総連労働貴族どもが「底上げ」とおしだしている企業内最低賃金の引き上げという方針は、企業内最低賃金がいまや自動車産業の特定最低賃金にはりついており、しかもこの特定最低賃金も地域最低賃金と同じような水準になっていることからして（愛知県では地域最低賃金一〇二七円にたいして、自動車産業の特定最低賃金は一〇二八円でしかない）、自動車産業の魅力をおしだすという思惑から主張されているにすぎないのだ。自動車総連のこのような反労働者的主張のイデオロギー的根拠は、「労使運命共同体」思想に骨の髄までおかされていることにほかならない。

二月九日に開催されたトヨタ自動車労働組合の評議会では、執行部が提案した賃金要求方針についての反対一、保留二の意見が表明された。全会一致が慣例となっている評議会において、まさに異例な事態が生起したのである。これは氷山の一角でしかない。労働組合執行部が経営者の意向をくんで組合員間の賃上げ額にあまりに大きな格差をつけることに、各職場では労働者の反発がうずまいているのだ。

自動車産業でたたかう労働者は、歴史的な物価高のなか、大幅で一律の賃上げをかちとるために奮闘しようではないか。その場合、労働貴族どもの反労働者的指導によって、労働組合組織は荒廃をきわめてしまっている。「労働組合なんかに頼れない」という組合員の声が蔓延してしまっている。また中小企業の組合役員は歴史的激動のなかで自動車総連・各労連の無指導ゆえに資本からの攻撃の前に右往左往してしまっている。だが、職場では低賃金、長時間労働、労働強化にたいする労働組合員の不満はたまりにたまっている。われわれはこの現実に立ち向かい、労働組合を主体として二四春闘を戦闘的に再構築していこうではないか。そのただなかで労働組合組織、その各機関の強化を労働者の階級的な団結を基礎として実現しようではないか。

自動車総連の組織内参議院議員・磯崎哲史は、国民民主党の憲法調査会事務局長として、労働組合つぶしの尖兵である日本維新の会と手を携えて、緊急事態条項の創設の旗振り役を果たしている。これを弾劾し、憲法改悪阻止・軍事費の大幅な増額反対を課題とした反戦闘争をつくりだそう。ロシア・プーチンのウクライナ侵略反対、イスラエルによるガザ人民のジェノサイド反対も同時に掲げてたたかおう。戦闘的・革命的労働者は最先頭で闘いをけん引しよう！　これらの闘いの一切をつうじて自動車産業の深部に革命的ケルンを確固として確立していこうではないか。

グループ企業の認証不正続発下でのトヨタ春闘

村山　武

大幅な格差をつけた春闘妥結弾劾！
「挑戦の余力づくり」のための協議に終始

トヨタ労働組合は三月十三日、第四回の労使協議会において二〇二四春闘の賃上げと年間一時金の要求にたいして経営陣が「満額回答」したことをうけて最終的に妥結した。経営陣の満額回答は四年連続ではあるが昨二三年は第一回の労使協議の冒頭に満額回答したこととは異なり、第四回の最終回答まで「労使協議」が続行され、そのうえで回答されたのである。

回答内容は「満額」とはいわれるものの、例年通り職種・職能資格ごとに組合の側から大幅な格差をつけた要求にたいしてそのまま経営陣が回答したものである。全組合員平均の要求額は今年も非公表であり、職種・職能資格ごとの賃上げ額は月額で最大二万八四四〇円、最小は七九四〇円と三倍にもおよぶ格差がつけられている。しかも、それはあくまでもそれぞれの職種・職能資格における標準額であり、各組合員の賃上げ額は査定によってAランクからE

ランクまでランクづけされてさらに大幅な格差がつけられているのである。比較的高い賃上げを提示された〝高度スキル人材〟が「選ばれる企業」として他企業から引き抜かれることがないようにするためである。そして多くの組合員は、数千円～ゼロの低額妥結を強いられたのである。

年間一時金は過去最高水準の七・六ヵ月分といわれてはいるが月例賃金が組合員間で格差がつけられているので、それに応じて一時金も同一職種・同一職能資格の組合員間で大幅に格差がつけられているのだ。

賃上げの経営側の回答が第四回の労使協議の最終回まで引きのばされたのであるが、労使協議においては「賃上げ」をめぐってはまったく協議されていない。労・使双方ともに「満額回答」することは暗黙のうちに前提にされ、「協議」の内実は「挑戦の余力づくり、足場がため」(社長・佐藤恒治)の協議に終始したのである。これが、今年の労使協議の最大の特徴にほかならない。

トヨタ本体が史上最高の利益をあげた裏で直系子会社のダイハツ、トヨタの開業の祖たる豊田自動織機、日野自動車の認証不正、そしてデンソーやアイシン製の欠陥部品によるリコールが続発し、さらには系列の販売店の車検不正が頻発した。この原因は前社長・豊田章男の下で「トヨタ生産方式」という名のもとで「能率・生産性の向上」が強制されたことにある。「開発日程が優先され、安全リスクに関して不安」という声が各社の労働現場に蔓延したにもかかわらず、トヨタ経営陣はトヨタ労組・全トヨタ労連幹部を従えて、労使協議会を「全員参加の『経営会議』(豊田章男)、『家族の会議』」へと変質させ、労使一体化してこれを無視してきたのだ。その結果、不正認証・欠陥部品の大量発生の続発に見舞われた。だがトヨタ労働貴族どもは今春闘において、経営陣の責任も、これに同調した労組指導部としてのみずからの責任も棚上げし、ダイハツの労働者・組合員に責任転嫁したのだ。そして、「総決算の場」だとか「踊り場をつくろう」などの相も変わらない「労使」のおしゃべりに終始したのである。

(二〇二四年三月十六日)

トヨタ労組の春闘方針の特徴

ダイハツ工業、豊田自動織機などトヨタグループ各社によって引きおこされた認証試験の不正行為の数々によって、トヨタ車の品質、安全性への信頼が揺らいでいる。それでもトヨタ自動車は、二〇二四年三月期決算において、日本企業として過去最高となる四兆五〇〇〇億円の純利益を計上することを公表した。円安や車両価格の値上げによる増益とともに、前年の半導体不足による減産によって積み増した受注残を解消するために増産につぐ増産によって労働者から搾りとったのだ。ここで搾りとった莫大な利益を研究開発や設備投資、新車投入に振り向けようとしているのがトヨタ独占資本である。

だが、このような空前の好業績の背後では、トヨタ本体においてもグループ各社で不正が続発する要因となった、限られた開発期間でのあいつぐ新車投入によって、開発・製造現場への苛酷な負担が強いられている。まさにグループ各社と同様の事態を引きおこしかねない危機的な状況の真っ只中で「トヨタ春闘」がとりくまれている。

トヨタ労組執行部は、二月九日に開催された評議会において、「二四春の取り組み」方針を提案した。その特徴の第一は、「グループ各社での不正事案など自動車産業・トヨタの基盤を揺るがす課題が顕在化し」ていることに危機感を募らせ、これをトヨタが直面する最大の課題にあげていること。また「人手確保に向けた産業としての魅力向上」などの課題にたいし「自動車産業・トヨタの変革に向けた基盤を強固なものとする」ために「何をすべきかを労使で話し合う」ことを掲げていることである。

第二は、賃上げ要求については、過去三年と同様の職種、職能資格ごとに十七のパターンに分け、それぞれの「職種、職能資格ごとの標準要求額」を掲げている。その際、以前は公表されていた「組合員一人平均の要求額」や組合員が賃金水準を知る基準となる「基準内賃金、勤続年数、扶養家族」などのデータはいっさい組合員には知らされていない。また一時金については、過去最高の七・六ヵ月要求を掲げている。

執行部方針への反対・保留票の噴出

このような執行部方針にたいする評議会の採決において、反対票一、保留票二が投じられるという前代未聞の事態が現出した。反対票を投じた「クルマ開発支部」からは、「事技職と業務職・技能職との職種間の引き上げ額の差をどう考えるか」「業務職に事技職相当の業務が割り当てられている、待遇改善すべき」という批判がだされている。また、保留票を投じた「モノづくり開発支部」や「先進技術支部」からは「第3四半期の連結営業通期見通しの上方修正を一時金の要求案（七・六ヵ月以上）に反映して欲しい」「一時金の要求案に関し、執行部論議の透明性（決定プロセス・理由など）を確保してほしい」といった意見が出されているのだ。

こうした職場討議で出された批判や、疑問の数々に驚き慌てた執行部は、評議会での方針提案後に異例の補足説明をおこない、噴出した組合員の反発の沈静化をはかることに大わらわとなったのだ。

これだけではない。昨年まで二年連続で、初回の「労使協議会」の冒頭で組合要求に経営陣が満額回答を示し、賃金交渉をいっさいおこなうことなく、春闘の労使交渉を豊田章男が二二春闘時に満足げに語った「経営協議のようなもの」として純化させてきたのがトヨタ労使である。二月二十一日の第一回「労使協議会」では、経営陣から賃金・一時金の組合要求への言及はいっさいなく、生産台数が増大することで顕在化する開発・生産現場の課題を優先して論議することが労使で確認されている。

そして、論議に先立ち、トヨタ労使の原点である「労使共通の基盤」の大切さを改めて労使で確認することが経営陣から提起されている。一九五〇年の労働争議、六二年の「労使宣言」以来の歴史をふり返り、「トヨタ労使の原点」を確認しなければならないほど、トヨタの開発・生産現場は逼迫し、生産最優先の施策に労働者は疲弊し、余裕をなくしている。こうした事態を看過できないほどの危機感を経営陣も抱かざるをえないほどに、トヨタは深刻な危機に直面しているのだ。

続発する認証不正問題の労働者への犠牲転嫁

トヨタが直面する喫緊の最重要の課題が、グループ企業で続発する認証不正や品質問題への対応である。今日までに発覚している二〇二二年の日野自動車のエンジン認証不正をはじめ、豊田自動織機、ダイハツ工業での認証試験の不正の数々。さらに品質をめぐってはデンソーの燃料ポンプの不具合による、これを搭載したホンダ車の大量のリコール。アイシンではエアバッグ部品の不良によるリコールを発生させている。

こうしたあいつぐ不正の発覚をまえに、会長・豊田章男は「トヨタのことでせいいっぱいでグループ企業を見る余裕がなかった」などと居直っている。

だが日野、豊田自動織機、ダイハツのいずれにも共通するのは、トヨタから受託した車両の開発期間の短縮による開発・生産現場への過度の負担の強要であり、量産開始期日を厳守するために認証試験そのものを軽視する社内の風潮が経営陣の黙認のもとに、長年にわたって醸成されてきたことにある。

ダイハツの不正を調査した「第三者委員会」は、部長以上の役職者による「不正を指示した事実は認められない」などとデタラメ極まりないことを報告している。ダイハツでは、この十年間に安全試験や認証を担当する人員が三分の一に削減された。また、衝突試験用の車両が経費節減のために減らされている。この事実にこそ、認証制度そのものを経営陣みずからが軽視し、開発期間の厳守を最優先にして新車開発を強行してきたことが示されているではないか。

認証試験を担当する部署の担当員たちは、人員をはじめ認証試験する体制そのものが不十分ななかで、法令にもとづく検査項目などの試験をネグレクトしたり数値をごまかすなど、本意ではない作業によって「合格」させてきたのだ。まさに、認証不正のいっさいの責任は経営陣にあるのだ。

そして、一六年にトヨタの完全子会社となったダイハツには、低コストで小型車開発の技術力をもつがゆえに、トヨタグループの小型車開発の中心の業務があてられた。ダイハツはトヨタにおける「新興国小型車戦略」の要として過度な車両開発の、しかも短期間での開発を続けてきた。これがダイハツで不正がくりかえされてきた根本的な要因なのだ。

　生産停止によって、ダイハツや下請け企業の労働者は、大幅な収入減に追いこまれている。ダイハツ労組は今春闘での賃上げ要求を放棄した。ダイハツ、トヨタ独占資本による、いっさいの犠牲転嫁を許すな！

新車開発によって逼迫する開発・製造現場

　短期間での新車投入による開発・製造現場への負荷の増大は、トヨタ本体でも直面する深刻な事態なのだ。経営陣は、顕在化していないとはいえ、トヨタでも同様の品質・安全にかかわる事態を起こしかねないことに危機感を募らせているのだ。

　トヨタは昨二三年、「プリウス」や「クラウン」など新型車を相次いで市場投入した。「カローラ」「クラウン」などは同一ブランドでセダン、ＳＵＶなど四タイプの車種を投入する「群戦略」と呼ぶ車種展開をおこなっている。さらに今後は、テスラやＢＹＤからの遅れを挽回するために、新型ＥＶ（電気自動車）の市場投入が本格化する。二六年までに新型ＥＶを十車種投入し、年間一五〇万台の販売を目指すことを公表している。また、ＨＶ（ハイブリッド車）やＦＣＶ（燃料電池車）、水素エンジン車といった「全方位戦略」にもとづく車両開発や自動運転などのソフトウェア開発にも注力しなければならない。こうした開発を担当する技術系労働者に苛酷な労働強化が強制され、心身を病む労働者が急増している。

　一方、国内の生産現場では、半導体不足の緩和にともなって、長期化する納車待ちの解消のための増産がおこなわれてきた。繁忙期には一日当たり一万四〇〇〇台を大きく上回る水準の生産が強行され、トヨタの生産現場だけでなく、下請け企業では増産に対応するための長時間残業と労働強化が労働者に強制されてきたのだ。

　「労使懇談会」や「労使専門委員会」において、開発・製造の現場が抱える問題を洗いだし、その解決策をめぐる論議が労使一体になってくりかえされている。そこでは経営陣から「今は単純にプロジェクト数が多い、すべての量をこなせる状況ではない」「われわれも、チャレンジしすぎてパンクしている状況をどう解決していくか、労使で動いていきたい」などといわれている。こうした状況をまえに社長・佐藤は「一度立ち止まること」を宣言し、開発・生産計画の見直しの検討を指示している。生産台数では、半導体不足の解消によって昨年度には、一日当たり一万五〇〇〇台規模のフル操業がたびたびおこなわれ、部品を供給する下請け企業を含め、生産現場への負担が強いられてきた。また開発の現場でも新車投入の先延ばしや開発期間に余裕をもたせるなどの施策が導入される。二四春闘の「労使協議会」では、トヨタの直面する現状への労使の危機感の共有と今後の経営施策の練りあわせが課題の中心となっている。

「高度人財」確保に向けた賃上げ要求

トヨタ労組執行部は、賃金については昨年と同様の「職種、職能資格」ごとの十七パターンを設定し、それぞれの項目に「標準的な考課を前提とした」要求額を掲げている。その最大の特徴は、「事技職」(事務総合職および研究技術職)の若手組合員(二十〜三十代の指導職、担当事技職が該当)の要求額が突出して高く設定されていることである。事技職の指導職資格では二万八四四〇円(昨年は九三七〇円)、他方、業務職(一般職)三級の資格では、八一四〇円であり、同じ組合員でありながら、三倍以上の格差をつけて要求している。

しかも、それぞれの職能資格の額を基準にして、経営者による職能考課によって組合員はAからEの五段階に評価され、優秀とみなされた一部の組合員には大幅な賃金引き上げがおこなわれる一方で、最低評価の組合員(Eランク)は賃上げゼロになるなど、大多数の組合員はこれまでより低い水準の賃上げを強いられることになるのだ。

こうした賃金要求をトヨタ労組の労働貴族どもは、「人財定着の観点で事技職の(若手)指導職、担当事技職は競合他社にたいして優位性を持つ必要がある」などと経営陣と見まごう言辞で基礎づけている。「労働市場の変化も念頭に」と彼ら労働貴族が言うように、自動車産業ばかりでなく電機、情報通信をはじめ、あらゆる産業におけるＩＴなどの高度先端技術をもつ労働者の熾烈な獲得競争が激化している。まさにトヨタの生き残りのために、トヨタ経営陣と「共通の基盤」に立って、新規採用した技術労働者を引き留め、またＩＴスキルを身につけた若手のソフトウェア人材の中途採用や自社で高度人材の育成をすすめていくうえで、若手の技術労働者を対象にした労働条件の引き上げは不可避であり、そのための賃上げ要求なのだ。

労組の側から、組合員の賃金格差を容認する反労働者的な賃金要求をおこなうことによって、組合員が統一した賃上げ要求のもとに労働組合のもとに団結し賃上げをかちとる春闘方式は最後的に消滅した。組合員はみずからの賃金引き上げをかちとるために、相互に競って自身の「職能考課」を上げるしかない。こうした賃金要求は賃上げをかちとるための組合員の団結を破壊する以外のなにものでもないのだ。

トヨタ労組が一九春闘以降、ベア要求を含むか否かを公表しない「総額要求方式」に転換し、「春闘相場のリード役」から撤退した。さらに二二春闘からは、労使の事前の腹合わせにもとづいて労組の「賃上げ要求」に、初回の「労使協議」において経営陣が満額回答で応えた。賃金交渉をいっさいおこなうことなく決着させることで春闘を破壊してきたのがトヨタ労働貴族どもである。

二四春闘では、各産別・労組がそれぞれの企業・産業の利害を代弁した要求を掲げている。それは、春闘相場のリード役を先頭に労働者の賃金引き上げを要求して「企業別組合の産別勢揃い」という方式でとりくまれてきた日本型賃金闘争としての春闘方式が、大企業労組の労働貴族が牛耳る「連合」指導部によって、完全に放棄し破壊されてきたからにほかならない。春闘破壊を先導したトヨタ労働貴族どもを弾劾せよ！

「共通の基盤」にたった新経営陣への献身

「EV戦争」に出遅れ、その挽回に向けた経営施策の実現にこのかん、トヨタは、労使一体でとりくんできた。二〇二六年までに新たにEVを十車種投入し、一五〇万台の販売を公表している。「全方位戦略」にもとづく車両開発ばかりでなく、ソフトウェアの研究開発、「デジタル」「カーボンニュートラル」への取り組みに直面している。

こうした繁忙を極める職場の現状をめぐって、すでに昨秋の「労使懇談会」において「失敗を恐れる」「本音を言えない」「余力の無さ」といった開発・製造現場から深刻な声があげられていた。そして、ダイハツ、日野、豊田自動織機のトヨタグループ各社での認証不正の数々の表面化。まさにトヨタ車の安全・品質の信頼の根幹を揺さぶる事態に直面し、「職場があまりに余力なく無理をしすぎている」「このままの仕事のやり方を続けて本当に大丈夫なのか」などと危機感をあらわにしているのがトヨタ労組労働貴族どもなのだ。

昨年九月に開催された定期大会においてトヨタ労組は「労組・組合員一人ひとりの〝道しるべ〟となるミッション・ビジョン・バリューを策定し、活動内容を再構築」するという今後十年間の中期的な組合運動路線をうちだした。それは、「自動車産業の大変革期」を生きぬくために「トヨタと産業の持続的成長は、すべての組合員の願いである」などと言いなし、組合員を経営・労務の諸施策の実現に駆り立てるものである。

トヨタがいま直面する「自動車産業・トヨタの基盤を揺るがす」危機的な事態をまえに、「労使相互信頼」にもとづいてトヨタ独占資本に忠誠を誓い、佐藤ら経営陣に全面協力して、トヨタの生き残りのために組合員を動員していくことを宣言しているのがトヨタ労組の労働貴族どもなのだ。トヨタ労働貴族どもの春闘の最後的破壊を弾劾し、トヨタの生き残り策をめぐる「労使協議」への純化を許さず、二四春闘の戦闘的高揚をめざしてたたかおう！　トヨタ労組の戦闘的再生のために奮闘しよう！

二四私鉄春闘
「賃上げ原資」確保のための運賃値上げを求める総連指導部弾劾！

大木戸塊

能登半島地震から約三ヵ月、いまだ仮設住宅の建設もままならず多くの被災民が避難生活を強いられている。私鉄総連・北陸地連の仲間たちも自宅の全壊・半壊の被災をこうむりながらも、鉄道・バスの復旧・運行のために日夜奮闘している。それにもかかわらず、救援・復興のための早急な手立てを講ずるのではなく、「北陸応援割」なる復興・観光キャンペーンでお茶を濁しているのが岸田政権なのだ。

被災民を見捨てる岸田政権を許すな！

岸田政権のもとでうち続く物価高騰に労働者・人民は塗炭の苦しみを味わわされている。政府・独占資本家どもが「いまがデフレ完全脱却のチャンス」と叫びたてるなかで、これに「経済も賃金も物価も安定的に上昇する経済社会へとステージ転換をはかる正念場」だ、と唱和しているのが「連合」芳野指導部だ。そして、「労使は運命共同体」と叫ぶこの芳野友子に追随し、「事業者と共通認識を持つ」のだと称して、「賃上げ原資」確保のための運賃値上げを私鉄経営者に求めているのが私鉄総連指導部なのだ。

たたかう私鉄の労働者諸君！

今春闘を「賃上げ原資」を獲得するための「適正な運賃の実現」に歪曲する私鉄総連本部を弾劾し、大幅一律賃上げ獲得をめざしてたたかおう！

諸物価引き上げ・公共料金値上げ反対！　大軍拡・憲法改悪反対！

二四私鉄春闘の戦闘的爆発をかちとろう！

I　「事業構造改革」のために賃金抑制を強める経営者と屈服する総連指導部

私鉄総連本部は二〇二四年二月八日、民鉄協（私鉄経営者団体）と日本バス協会にたいして春闘要求書を提出するとともに、翌九日には労使協議会を開催した。この場で民鉄協は、私鉄独占体の総意として「物価高による継続的な賃上げや人材確保の厳しさなど難しい経営環境である」とうそぶき、今春闘においても賃上げを抑制していく姿勢をしめした。同時に、「私鉄産業の回復のためには労使が協調して公共交通の重要性を訴えていくことが肝要」であるとして、「私鉄産業の回復」にむけての労使一体での取り組みを総連本部に呼びかけた。狂乱的な物価高騰のもとで私鉄労働者が生活苦にあえいでいるにもかかわらず、賃金抑制を徹底するというのだ。

私鉄経営者のこの強欲さにたいして抗議の声を発するどころか、「交通政策の是正で持続可能な産業を構築していきたい」と呼応したのが総連本部である。彼らは、「産業の維持・存続」のために協力することを誓約し、『人財』の流出を防ぐためには人への投資が極めて重要」であるとほざいて、「人への投資」としてのわずかばかりの「賃上げ」を経営者に懇願したわけなのだ。

大手私鉄の経営者どもは、「難しい経営環境」だ、と馬鹿の一つ覚えのように叫んでいる。だが、彼らの懐は昨年実施した運賃値上げによって、さらに岸田政権がコロナ感染症をインフルエンザ並みの五類に位置づけ、訪日外国人の入国規制を緩和したことによるインバウンドの拡大（昨年、約二五〇〇万人・コロナ前の八割の水準に回復）、その取り込みによって、急速に〝業績回復〟し利潤を膨らませているのだ（大手十五社の半期の経常利益は対前年比八四％増、約四二〇〇億円）。

大手私鉄の経営者はいま、賃金抑制を徹底しつつ、次のような経営戦略の実現に狂奔している。日本社会の少子高齢化・人口減少社会への突入とコロナ・パンデミックを契機としたリモートワークの社会的定着などの「働き方の変化」を受けて（輸送人員は現在もコロナ前の九割）、アフターコロナ時代の〝生き残り戦略〟＝「事業構造の改革」の実現に必死となっているのである。彼らは「固定費削減、生産性向上による事業基盤の強靭化」を叫びたて、そのための設備投資（デジタル技術諸形態の導入）に莫大な資本投下をおこなっている。とりわけ政府主導のDX化を軸にした産業構造の変革の進捗に促迫されて、「（私鉄の）DX推進」は「経営視点でもIT視点でも後れている」と危機感をあらわにしているのが大手私鉄の経営者なのだ。

彼らは一方では「移動する」ための鉄道、バス、タクシー、レンタサイクル、キックボードなどの交通諸手段の連携による利便性の向上（MaaS）を基礎に、みずからの沿線エリアを「住む・働く・学ぶ・遊ぶ」などの諸機能の充実する「まちづくり」によって移動人口・沿線人口の創出を追求している。それとともに、他方ではグループ企業（交通・不動産・ホテル・商業など）がバラバラに管理している膨大な「顧客データ」の統合＝データ基盤の一元化、その管理・運営のための「ローカル・プラットフォーマー」の立ち上げ＝DX推進に必死となっている。そうしなければ「ヒト・モノ・カネ」の膨大な顧客データをアマゾンなどの既存の「プラットフォーマー」に奪い取られてしまい、データを活用した新たな需要の創出＝「リアルとデジタルの融合」した「デジタル都市」づくりを運営する私鉄企業への脱皮・発展が阻害されかねない、と焦っているのだ。この情報を管理・運営する能力をもつ「優秀なデジタル人材」の獲得にいま大手私鉄経営者は血眼になっているのであり、こうした「人材」には相対的に高い賃金を約束し、その他方で大多数の労働者には低賃金を強制しようとしているのだ。

バス経営者は、本年四月から実施される労働時間規制の改変＝「二〇二四年問題」（①残業時間の上限規制一年間九六〇時間以内〔なんと休日労働は含まれていないのだ！〕と、②「改善基準告示」の改定――勤務間インターバルを現行より一時間延長し九時間以上とする、拘束時間は一時間短縮し十五時間以内とする、というもの）に促迫されている。五年間の猶予期間（自動車運転業務、医師、建設業以外の業種の時間外労働の上限規制は二〇一九年に施行されている）のあいだ、バス経営者はこの問題についての対策を埓外にして、不規則かつ長時間拘束勤務でヘトヘトになっているバス運転士に長時間の残業を強制し強搾取してきたのだ。コロナ禍にあっては「経営悪化」を理由に、バス運転士の賃金・一時金、諸手当を徹底的に切り下げる攻撃をかけてきた（バス運転士の平均年収は三九九万円、他産業より約一〇〇万円も低い）。その結果、離職するバス労働者が多発し、いまやどの職場においても「運転士不足」が慢性化している（日本バス協会によれば二〇三〇年度には三万六〇〇〇人もの運転士不足になるという）。

バス経営者は、「運転士不足」の深刻さがマスコミ報道で社会的に浸透しているいまが「経営効率化」のチャンスとみて、路線バスの減便・不採算路線の廃止をドシドシ強行している。現に働いているバス労働者にたいしては「残業時間の平準化」を叫びたて、〝上限規制ギリギリまで働け〟と労働強化を強制しているのが強欲なバス経営者なのだ。

過労死寸前まで時間外労働を強制され「もう疲れてクタクタだ、死にそうだ！」と悲鳴をあげているのがバス労働者の過酷な現実にほかならない。低賃金・劣悪な就業形態をそのままにしたうえで、「バス運転士」応募者を募るための「初任給大幅アップ」の小手先細工で「運転士不足」をのりきろうと画策しているのが経営者なのだ。いまバス労働現場から〝物価高騰で苦しんでいるのは皆同じだ。賃金を一律に、大幅にアップしろ〟という組合員の怒りの声が広範にまきおこっている。

このようなかでたたかう私鉄労働者は、「連合」指導部に唱和し「経済社会のステージ転換」を叫ぶ総連指導部を弾劾し、今春闘の一大高揚を実現するために奮闘している。各地連本部主催の春闘討論集会や単組機関会議や春闘決起集会の場で、「この賃上げ要求では物価上昇においつかない」『人への投資』ではなく賃金はたたかってとるものだ」「ストライキでたたかおう」と、超低額の賃上げ要求を掲げた総連指導部をつきあげ、多くの組合員とともに今春闘を戦闘的に塗りかえるために奮闘しているのである。

Ⅱ　貧窮にあえぐ労働者の現実を無視した超低額要求

私鉄総連本部がうちだした今春闘方針は次のものである。①月例賃金については、「定昇相当分（賃金カーブ維持分）二％＋ベア分（生活維持分＋生活回復・向上分）一万四六〇〇円」、年間臨時給（一時金）は「二三年度の協定月数堅持（五ヵ月以上）」を要求する。②「交通政策要求」については、「産業と職場を守る」ための政策課題として「公共交通の維持・活性化」「適正運賃の実現」「ライドシェア（白タク合法化）阻止」などを掲げている。とりわけ「要員を確保するための賃金や労働環境の改善などの課題に対応」するためには「適正な運賃改定を求めていかなければならない」と主張し、運賃引き上げを労働組合の要求課題として強調しているのが総連本部なのだ。以上の①②の要求を実現するための「たたかい方」については、「積極的に交渉を積み重ねろ」と〝労使協議の徹底化〟をうちだしている。

以上のような総連本部の今春闘方針の問題点は、第一に、彼らが掲げたところの賃上げ要求そのものがあまりにも超低額だということである。生活必需品が実質的には二〇％近くも値上がりする狂乱的な物価高騰のもとで、労働者が生活苦を強いられているというのに、このような超低額要求を掲げるとはいったいどういうことなのか。二十二ヵ月連続の実質賃金の引き下げに組合員はあえいでいるではないか。このような超低額要求は、たとえ満額をかちとったとしても賃下げをしか意味しないしろものなのだ。総連本部のダラ幹どもよ！「この一年間の生活状況は苦しくなった」「貯金の引き出しや借金でやりくりしている」「食事や外食を減らした」という「全組合員生活アンケート」にしめされた組合員の悲痛な叫びを肚の底からうけとめよ！そもそもコロナ禍の二年間、「このままでは産業がもたない」などとあわてふためき、「産業の再建」を第一義にして賃上げ要求を自制してきたのはいったい誰だ。お前たち総連本部ではないか。生活苦にあえぐ組合員の訴えを、「産業の維持・存続」を掲げて押さえつけてきた総連本部。この協力に助けられ、私鉄経営者は「徹底したコスト削減」の名のもとに賃金・一時金削減、諸手当カット、首切り、配転、出向などの苛烈な攻撃を労働者の頭上に振り下ろしてきたのだ。いまある私鉄労働者の超低賃金・貧窮は、こうした総連本部の犯罪的裏切りによってうみだされてきたものなのだ。

第二の問題は、総連本部が今春闘の超低額の賃上げ要求を実現するために、「適正運賃の実現」＝運賃引き上げ要求を前面に掲げていることである。「要員を確保するための賃金や労働環境の改善などの課題に対応するためには適正運賃が必要である」と言いつつ。「賃上げ原資」を確保するためには運賃値上げは当然なのだと平然とうそぶき、労働者・人民への収奪強化を尻押ししているのが総連本部なのだ。ふざけるな！労働組合の側から運賃＝公共料金の引き上げを要求するとはなにごとだ。このこと自体が反労働者的ではないか。そもそも運賃値上げによる「付加価値」＝利潤の増大、その「適正な配分」を求めていくという総連本部の考え方は、賃金＝「パイの分け前」というブルジョア的観念にとりつかれたものでしかなく、賃金は資本家とたたかってかちとるものだという労働者の階級意識を眠らせる以外のなにものでもない。

「連合」メーデーに結集した私鉄労働者
（４月27日、東京・代々木公園）

こうした総連本部の「継続した賃上げ」の実現のための運賃引き上げという主張は、「デフレ完全脱却のチャンス」と叫ぶ経団連や岸田政権に呼応して、「連合」指導部が「経済社会のステージ転換」＝〝適度なインフレ経済〟を実現するために「価格転嫁」を社会全体に浸透させることを今春闘の課題としておしだしていること、これに唱和したものなのだ。第三回拡大中央委員会で私鉄総連委員長・木村敬一は恥ずかしげもなくうそぶいた。「〔今春闘は〕経済も賃金も物価も安定的に上昇する経済社会へとステージ転換をはかる正念場である」、と。これは、デフレ脱却をはかるために「社会全体」で商品価格の引き上げを認めよ、労働者は物価値上げをうけいれよという政府・独占資本の恫喝への屈服なのだ。

第三の問題は、今春闘の超低額要求を「人への投資で確かな未来」を、などと基礎づけていることにある。「離職などによる『人財』の流出を防ぐためには、人への投資が極めて重要」とほざき、「人への投資」を資本家に哀訴しているのが総連本部なのだ。

なにが「確かな未来」だ。その「未来」とはいったい誰にとってのものなのだ。彼らのいう「未来」とは「持続可能な魅力ある〔私鉄〕産業」のことであり、それは私鉄資本家の〝未来〟ではないか。その実現のために尽力することを誓約し、「企業を支える最大の財産は『人』である」のだから「人への投資」としてちょっぴりでもいいから「賃上げ」をしてくれと経営者に哀願しているのが総連本部なのだ。下部組合員にむかっては「持続可能な魅力ある〔私鉄〕産業」づくりに身を粉にして働け、それがみずからの生活改善につながるのだと説教をたれることによって、私鉄労働者に「奴隷根性」を植えつけようとしているのだ。ふざけるな！　資本の下僕として奴隷根性に骨の髄まで染めあげられた総連本部の反労働者性を徹底的に暴きだしていこう。

Ⅲ　総連本部の闘争抑圧に抗し大幅一律賃上げを獲得しよう

私鉄のたたかう仲間たち！

われわれは、第一に総連本部の掲げた超低額の賃上げ要求を弾劾し、〈大幅一律賃上げ獲得〉をめざして今二四私鉄春闘の戦闘的高揚をつくりだすために奮闘しようではないか。生活必需品の相次ぐ値上げ、電気・ガスなど公共料金の引き上げという狂乱的な物価高騰によって、低賃金を強いられてきた私鉄労働者は、いまや貧窮のどん底に叩きこまれている。この惨憺たる現実を無視しているのが総連本部なのだ。彼らは、物価高騰のもとで生活苦にあえぐ私鉄労働者の現実を打開するために賃金の大幅な引き上げを経営者に要求するのではなく、「継続した賃上げの定着」などと称してわずか「定昇相当分二%＋ベア分一万四六〇〇円」なる超低額の賃上げ要求を掲げたにすぎない。しかもそれを「人材の流出防止に人への投資を」などと「労使共通の課題」であるなどと「持続可能な魅力ある産業」づくりのためのものだなどと基礎づけている。この総連本部の反労働者性を徹底的に暴きだし、大幅一律賃上げ獲得めざしてたたかおう！

わがたたかう仲間たちの奮闘によって、いま私鉄職場のいたるところで〝今春闘をストライキでたたかおう〟という声が澎湃とまきおこっている。下部組合員の突き上げをうけた総連本部は、「ストライキの事前設定を否定するものではない」などと言いながら「多くの労使においては、〔ストライキは〕厳しく重たい戦術として理解と認識が浸透している」、「交渉の積み重ね」＝〝労使協議の徹底〟こそが「ヤマ場における効果的な戦術」だなどと叫びたて、〝ストライキでたたかおう！〟という組合員の燃えあがる炎の火消しに必死の形相となっている。

われわれは、物価高騰下の今春闘において私鉄経営者の賃金抑制攻撃をうち砕くためには、大手・中小の垣根を越えて私鉄労働者の団結と連帯の輪を横におしひろげ、文字どおり〝私鉄労働者の統一ストライキでたたかおう！〟という声を職場生産点から広範につくりだしていくのでなければならない。

そのためにも同時に、〝ストライキとはなにか〟、その労働者階級にとっての階級的意味について組合員たちと論議をつくりだしていこうではないか。ストライキはたんなる交渉の圧力手段ではない。「……労働者階級が一朝一夕にしてストライキという闘争手段を自らのものにしたのではない……。労働者の鮮血で染めあげられた彼らの即自的・自然発生的反抗の連続とその失敗、この廃墟のなかから〝ストライキ〟という闘争形態ははじめて出現しえたのであり、それはまたやがて〝革命のヒドラ〟をそのうちに宿すこととなった」(藤原隆義＝杜学 論集『現代日本労働運動論』下巻こぶし書房刊、一四七頁)という階級的意義をもつものであることを論議し、「ストライキでたたかおう」という職場の体制を強化していこう。

第二に、「事業構造の改革」の名のもとにおしすすめられている運輸労働過程へのデジタル技術諸形態の導入、これにともなう大量人員削減攻撃に反対しよう！

大手私鉄の鉄道部門では「業務の高度化・効率化」を叫ぶ経営者が、「次世代型業務変革」と称して保守点検部門（電気、車両、軌道）においてはＩｏＴ・ＡＩを活用したメンテナンス業務のＤＸ化の推進、運転部門においては既存路線のワンマン化の推進や列車の自動運転を視野にいれた列車制御システムの開発・導入、駅部門においては駅無人化・窓口業務のリモート化など、デジタル化による労働組織の再編攻撃を一挙にかけてきている。バス部門では、「二〇二四年問題」への対応を迫られた経営者が、路線の減便・廃止を強行するとともに、「時間外労働の平準化」などと称して「運転士不足」のツケを現に働いているバス運転士に転嫁し、過労死寸前まで時間外労働を強制している。こうした諸攻撃に反対する闘いを組織化するのではなく、それを唯々諾々とうけいれている総連本部および大手・中小バス諸労組ダラ幹の犯罪性を暴きだし、大量人員削減攻撃反対！ 労働強化反対！ の闘いを創造していこう。

第三に、プーチン・ロシアによるウクライナ侵略開始から二年。米欧諸国の〝支援疲れ〟によるウクライナ支援の打ち切り・縮小によって、侵略に抗して不屈に戦ってきたウクライナの軍、領土防衛隊、人民はいま正念場にたたされている。ほくそ笑むプーチンは、占領した東部四州ばかりでなくウクライナ全土をロシアの版図に組みこむ野望をむきだしにしている。

パレスチナの地においては、シオニスト・ネタニヤフ政権が南部ラファへの一大攻撃を開始しようとしている。すでに、イスラエルのシオニスト政権によって三万人を超えるパレスチナの民衆が殺戮された。

二年前、たたかう私鉄労働者の突き上げをうけて、ロシアのウクライナ侵略にたいして抗議声明を発した私鉄総連本部は、いまやウクライナ、パレスチナにおいて血塗られた侵略者が跋扈し、世界が暗黒の世紀に突入しているこの危機をまえにして、なんと沈黙し労働組合として反戦の闘いをなにひとつとりくもうとしていない。たたかう私鉄労働者は、総連指導部の闘争放棄を弾劾し、全世界の労働者・人民と連帯して、職場生産点からウクライナ反戦、パレスチナ人民虐殺弾劾の闘いをつくりだそう！ 同時に、大軍拡・改憲に突進する岸田政権を打倒するために奮闘しよう！

〝護憲〟を標榜してきた総連本部は、改憲反対闘争の〝正念場〟ともいえるこんにち、〝護憲〟の旗を掲げているのみであって、労働組合として闘いを組織化しようともしていない。

われわれ私鉄の戦闘的・革命的労働者は、総連本部の闘争放棄を弾劾し、大軍拡・改憲阻止の闘いを職場深部からつくりだしていこう！ 「持続可能な魅力ある産業」づくりを掲げ、今春闘をそのための〝労使協議〟の場に歪曲する総連指導部を弾劾し、<大幅一律賃上げ獲得>めざして私鉄二四春闘の一大高揚をかちとるために奮闘しよう！

（二〇二四年三月十一日）

ＮＴＴ二四春闘の戦闘的高揚を！

花形　哲

ＮＴＴ労組の超低額妥結弾劾！

ＮＴＴ経営陣は、三月十四日に今春闘の回答をおこない労組と妥結したと発表した。彼らは、賃上げは「三万九三〇〇円、七・三％」の「過去最大」である、と豪語している。

だが、これはウソ八百もいいところだ。彼らの発表でさえ、この額・率は「人事・人材育成・処遇等の見直し」、すなわち企業が実施する労働者への教育・訓練やその他の、彼らいう「生産性向上・改善」の費用などをも「賃上げ」にふくめるという、デタラメもいいところなのだ。しかも「定昇相当分」を「一万六〇〇〇円」（?!）と過大に算定し、結局「賃上げ分」は組合要求「五％」の半分以下のわずか「一万一〇〇〇円、二・一％」でしかないのだ。うちつづく生活必需品価格の高騰、今春闘を機として大企業がいっそう拍車をかけている大幅な価格つり上げのもとで、実質賃金の大幅な低下となる以外のなにものでもない。

にもかかわらずＮＴＴ労組中央本部と各企業本部

の労働貴族どもは、なんの闘いもせず、下部から湧きあがった「ストを辞さずたたかおう」という声を傲然と無視し叩きつぶし、この超低額回答を唯々諾々と受けいれ、今後さらに「企業発展」のために尽くすことを経営陣に固く誓っているのだ。絶対に許せない！

すべてのNTTのたたかう労働者は、本部の低額妥結を弾劾し、NTT労働運動を戦闘的につくりかえていくために奮闘しよう。

………………………………………………

NTT労組中央本部は、正社員の「月例賃金五％改善」要求を柱とする二〇二四春季生活闘争方針を二月十四日の中央委員会で決定した。

「こんな超低率の五％要求を掲げて何なんだ！組合員を路頭に迷わすのか！　ふざけるな！」と怒りの声が労働者たちから噴きあがっている。

いま独占資本が率先して、食料品をはじめとする生活必需品の値上げを強行している。諸物価高騰が続き、われわれ労働者は耐えがたいまでの困窮を強いられているのだ。「働けど働けど生活費が足りない」などと切実な声が相次いでいる。政府統計でも実質賃金は前年比二・五％減であり、二十二ヵ月連続マイナスである。生活必需品の価格は、この二年間で二〇～三〇％も値上がりしている。

「連合」会長・芳野友子は、こうした労働者の苦境を意に介することなく、大企業の資本家どもに向かって「能動的に適切な価格転嫁をすすめていただきたい」などとほざいている。労働者に向かっては、「物やサービスは安ければ安いほど良いというものではない」と説いているのだ。まさに「連合」指導部は独占資本家に率先して抱きつき、春闘を〝物価値上げ促進運動〟に歪めているのだ。

この「連合」指導部につきしたがい、五％という超低率の要求を掲げているのがNTT労組中央本部なのだ。彼らは、生活苦にあえぐ労働者のことは眼中になく、会社経営陣の下僕として今二四春闘を「企業の成長・発展」のための労使協議の場へと解消しようとしている。われわれは、NTT労組中央本部・企業本部労働貴族の策動を許してはならない！　大幅一律賃上げ獲得をめざして職場深部から二四春闘の戦闘的高揚をつくりだそうではないか！

Ｉ　「新中期経営戦略」実現に突進する経営陣

ＮＴＴ経営陣は、これまで「新たな経営スタイル」と称する「経営戦略」にもとづいて、ドコモ会社やデータ会社を中心に大規模な企業組織再編を敢行してきた。これにふまえ昨年五月には、これからの五ヵ年間で成長分野とみなす事業に約八兆円を投資し「新たな価値の創造とグローバルサスティナブル社会」を支えると銘打った「新中期経営戦略」を発表した。彼ら経営陣は、ＩＯＷＮ（光電融合半導体を組みこんだ次世代情報通信・サービス基盤）の研究開発や実用化を加速させている。光電融合デバイスの製造会社設立やＮＴＴ版の生成ＡＩ「ｔｓｕｚｕｍｉ」の実用化を進めている。さらに彼らは、情報通信・情報サービス市場において業種・業態を超えて他企業との連携を強化し、持続的な経済成長や地方創生、人口減少・高齢化などの社会課題解決にも積極的にとりくむことをアピールしている。

経営陣は、二三年度の第３四半期決算において、営業収益が同期決算として過去最高を更新していることを発表した。二四年三月期連結の純利益を一兆二五五〇億円と見込んでいる。

政府・自民党は習近平の中国に対抗するために、経済安保や軍事戦略の観点から量子コンピュータ・宇宙ネットワークなどの軍事技術と密接に結びつくＮＴＴのＩＯＷＮを国家情報戦略に位置づけている。政府・経済産業省は、このＩＯＷＮ開発・研究に約四五〇〇億円を支援金として拠出している。岸田政権は、ＩＯＷＮ構想の実現にとって足かせとなっている、ＮＴＴに課せられた〝研究成果の開示義務〟などを撤廃するために、「ＮＴＴ法」の一部改定を閣議決定し、さらに二五年に同法を「廃止」することを策しているのである。

ＮＴＴ経営陣は、同業他社との競争にうち勝つという独自の利害をも賭けて、政府・自民党に呼応して、「ＮＴＴ法」を廃止することをもくろみ、そのためにNTTの経済安保担当の副社長・柳瀬唯夫を国会行脚させてきた。また、会長・澤田純も岸田政権の「防衛力の抜本的な強化に関する有識者会議」のメンバーとして、軍事力強化・軍事技術開発を進める論議に加わりうごめいているのだ。

経営陣は、将来的にはNTT東・西会社の統合をもくろんでいる。すでに統合を見据え東・西両社の社内システムの統一化などを着々と進めている。そしてグローバルなICT事業を軸としたコングロマリット企業(複合企業体)として世界に躍りでようとしているのである。

Ⅱ 〝経済社会のステージ転換を図る春闘〟への歪曲

NTT持株会社社長の島田明は、春闘をまえにして「〔賃金は〕継続的・安定的に上げていくことが大切」で「過去十年間〔で物価は〕八%上がったが、三〇%の賃上げをしてきた」と発言した(二月八日)。労組の今春闘の要求にたいして、例年どおり低額に抑えこむ意向を明らかにしたのだ。だが許しがたいことに中央本部は、困窮にあえぐ労働者にたいし賃上げ抑制のさらなる追い打ちをかけようとしている社長・島田のこの発言について、何のコメントも発していない。彼らは経営陣の賃金抑制姿勢をまえにすでに膝を屈しているのだ。

彼ら中央本部は、超低率要求の春闘方針をうちだしている。今春闘を「連合」方針にもとづいて「経済も賃金も物価も安定的に上昇する経済社会へとステージ転換を図る」ためのものと位置づけている。そして経営陣の「新中期経営戦略」の着実な実現に寄与することが「組合員・社員の雇用の安心・安定、労働条件の維持に資する」としている。そのために、①分配と成長の好循環につながる持続的な賃上げ、②「経営戦略」にもとづくNTTグループ事業の持続的な成長・発展をはかるための「人財への投資」、③組合員の生活向上につながる賃上げ、――これらを総合的に勘案し、月例賃金・特別手当(ボーナス)などの改善による年間収入の引き上げをめざす、としている。こうした考え方にもとづいて賃金要求として、主要会社五社（持株・東・西・ドコモ・データ）の正社員の「基準内賃金および成果手当の五％改善」を掲げた。

そして主要五社のＮＴＴ労組企業本部は、この中央本部の方針にもとづいておのおのが対応するグループ会社などにたいして具体的要求をうちだすとしている。そのひとつであるＮＴＴ労組西本部は、傘下子会社のグループ会社採用社員、エリア社員、六十歳超契約社員、無期・有期雇用者の「月例賃金等の五％改善」という要求をうちだしている。また特別手当については「昨年妥結水準」プラス上積みを求めている。

ＮＴＴ労組西本部の労働貴族どもは、非正規雇用労働者については、その賃金の「底上げ」に向けた「通年的な処遇改善」などという要求をおざなりに掲げるだけだ。しかもＮＴＴ西会社経営陣は春闘をまえにして、現行の業務限定・地域限定の雇用形態である「無期の非正規労働者」と「エリア社員」を統合し「新正社員（仮称）」という新たな雇用形態を創設すること（二四年十月）を提案してきた。彼ら経営陣は、「取り巻く事業環境の変化」に対応するための「労働力の確保」に奔走しはじめているのだ。だが西本部は、経営陣のどす黒い思惑（対象者に広域配転を強制するなど）を何一つ暴きだすことなく、この提案を全面的に受けいれようとしているのだ。労働条件の悪化に反対し、非正規雇用労働者の処遇の抜本的改善をかちとろう。

Ⅲ　ＮＴＴ労組本部の「春闘方針」の反労働者性

1　「企業の持続的成長」のための「人財への投資」の欺瞞性

ＮＴＴ労組指導部は、先に見たように「連合」の方針にのっとり、今二四春闘方針で「経済社会のステージ転換」というスローガンを掲げている。賃金改善要求を高度人材確保のための「人への投資」と位置づけ、それを起点として経済の好循環を力強く回していく、と考えているのである。彼らは、このような考え方を次のように図式化している。「人財への投資」→「モチベーションの維持・向上で人材確保・定着を実現」→「中期経営戦略に基づく事業の成長・発展」→「成長を組合員に適正に分配」（以上は、役員向け資料から）と。簡明に言えば、「人財への投資」を起点として、「ＮＴＴグループ事業の持続的な成長・発展」のために「新中期経営戦略」の着実な実行に寄与している労働者へは「適正な分配をせよ」ということなのだ。

メーデーに起つＮＴＴ労働者（4・27、代々木公園）

彼らは、労働者の困窮する生活を打開するのではなく、「日本経済の再生」と「企業の持続的成長」を目的にして、一握りのＩＴ技術者には高額の給与を支払い、その他の大多数の労働者への賃上げは、経営陣が許容する枠内、したがって会社の利益に影響を与えない限度内に抑えるべきだと考えているのだ。労働貴族どもの超低率要求を基礎づけている彼らの「分配と成長の好循環」という考え方は、「継続的かつ安定的な賃金改善こそ重要」との経営側の意をくんだものであって、労働者の利益を考慮したものではまったくない。「企業の持続的発展」のための「人財への投資」を経営陣に懇願するそれは、生活苦にあえぐ労働者に超低率の〝賃上げ〟を押しつけるとともに、この賃金闘争をつうじて労働組合を戦闘的に強化することを阻害する反労働者的方針にほかならない。

ＮＴＴ経営陣は、彼らの「経営戦略」にもとづき、デジタル技術などの新たな技術諸形態を労働現場にドシドシ導入しつつ、労働者にはリスキリングを強要するとともに、職務を基準とした専門性重視の「ジョブ型」人事・賃金制度を導入している。こうした施策の結果、数多の労働者が労働強化と職種転換・転勤を強要された。これらの施策についていけないとみなされた労働者は早期退職を余儀なくされ、なかには過労死・精神疾患に追いこまれる労働者もいるのだ。経営陣による悪辣な労働者への犠牲強要を受けいれ、労働者の切実な賃上げ要求を踏みにじる労組本部を許すな！

2　実質賃下げ・格差拡大の「五％賃金改善」要求

ＮＴＴ労組幹部らは、今春闘に向けた「職場総対話」において、昨年の「一〇万円要求」を裏切った問題に口をつぐみ一言の謝罪もしなかった。彼らは、ぬけぬけと今春闘の「月例賃金五％改善」要求は昨年の要求であった「二％」に「生活防衛措置一〇万円」＝一・六％を加えたトータル四・六％より高いとほざいた。それだけでなく彼らは、「『月例賃金改善五％要求』は連合の『ベア要求三％』より高い」と言ってはばからない。

今どき五％の要求など超低率も甚だしいものではないか！　二〇％も三〇％も生活必需品価格が上昇し、政府統計でさえ二十二ヵ月連続して実質賃金が低下している！　労働者の生活は困窮の極みにある。こんなご託宣を並べて労働者がだませると思ったら大間違いだ。労働者をなめきった労働貴族どもを弾劾しよう！

主要会社五社の正社員の「五％改善」の要求内容を本部は、基準内賃金である「グレード賃金」と基準外賃金である「成果手当」の改善としている。ＮＴＴの経営者どもは、企業の成長・発展に貢献する高スキルの一部労働者にかぎって賃金を引き上げ、貢献できないとみなした労働者へは微々たる賃上げ＝実質賃下げを振り下ろそうとしている。ＮＴＴ労組の労働貴族どもは、これに屈服し・いや積極的に呼応して、このような超低率であるとともに基準外の業績給である「成果手当の改善」に重きを置いて要求をうちだしているのである。

今春闘で中央本部は「率」要求を前面におしだしている。この「率」要求なるものは、全雇用形態の労働者の「賃金引き上げ」の平均値をなす「パーセント」要求である。ＮＴＴ西会社においては、本体社員、グループ会社採用社員、エリア社員、無期・有期非正規社員、六十歳超契約社員などの雇用形態ごとに基本賃金の格差があり、「率」で要求することは各雇用形態における、また雇用形態間の賃金格差をますます拡大することになる。NTT労組本部は、労働者間の一層の格差拡大を肯定しているのだ。そして「非正規の無期・有期や六十歳超」労働者の月例賃金の「改善」については、形ばかりの要求をしているが、「通年的な処遇改善」にすり替えて端から取る気もないのだ。このような犯罪的な本部の対応のせいで、十年このかた非正規雇用労働者の月例賃金の引き上げは「ゼロ」なのである。

3　ストをやらない「スト権確立批准投票」

今春闘においてもNTT労組では「ストライキ権確立批准一票投票」が全組合員を対象に実施され、高率批准で「ストライキ権」が確立された。だが、多くの組合員からは「どうせストも打たないで裏切るでしょう、何の意味があるの?」という声が聞こえる。「批准投票」それ自体が形骸化して久しいのである。NTT労組本部は、「働き方改革」のひとつであるリモートワークやフレックスタイム制の導入によって、時間外労働拒否闘争や職場集会の開催なども これまで以上に困難になるなかで、ストライキだけではなくこのような闘争形態も骨抜きにしようとしているのだ。

本部労働貴族が進める「ストライキ権確立批准投票」なるものは、「交渉」と称する労使協議を進めるためのものでさえない。それは組合員にたいしてガス抜きとして、あたかも春闘をとりくんでいるかのポーズを取っているだけのものなのだ。こうしたストをやらない「スト権確立批准投票」ともいうべきものは、経営陣の経営・労務施策をすべて「労使協議」におけるボス交で丸呑みするという、彼らの労使協議路線の反労働者性を隠蔽し労働者の目を欺くためのものなのだ。

昨二三年春闘において、中央本部の「生活防衛措置一〇万円」要求の取り下げという大裏切りにたいして、戦闘的な仲間たちの奮闘に支えられて多くの職場から中央本部にたいする怒りと弾劾の声があがった。「こんな賃下げ妥結は受けいれられない」「こういうときこそストを打つべきだ、何のためのスト権確立なのか」などと怒りが渦巻いた。今春闘の開始にあたって組合員たちは、中央本部や各級指導部にたいして、昨春闘の二の舞いは絶対許さない、「スト権行使を辞さない決意でとりくめ」「決意と覚悟をもってとりくめ」と怒りの声をぶつけたのだ。

本部労働貴族のストをやらないことをあらかじめ前提とした「スト権確立批准投票」の欺瞞性を暴きだし、賃上げを断固としてかちとるためにストライキでたたかおうという論議を職場・組合諸機関でまきおこそう。まさにストライキ権を労働者の闘いの武器として断固行使し団結を打ち固めよう！

今、世界の労働者は、賃上げをかちとり雇用を守るために、陸続とストライキ闘争で決起している。日本においてもそごう・西武労組の労働者がストライキでたたかった。われわれは、ストライキを忌み嫌う「連合」芳野指導部を弾劾し、大幅一律賃上げをたたかいとるべきことを訴え、中央本部の超低額妥結のための労使協議（ボス交）を許さず、職場深部から生活苦に呻吟する労働者の怒りを結集し、ストライキ戦術をも駆使して春闘を戦闘的・大衆的にたたかおう！

Ⅳ 「生産性向上」に全面協力する本部を弾劾し闘おう

われわれは、経営陣と一体となって賃金抑制や経営施策の実施に全面協力している本部労働貴族どもの腐敗した対応を弾劾し、経営者の経営労務政策に従属する春闘へのねじ曲げを許さず、二四春闘を戦闘的に創造するために奮闘しよう！

われわれの第一の任務は、本部労働貴族の「五％賃金改善要求」の反労働者性を暴きだし、徹底的に弾劾してたたかうことである。生活苦にあえぐすべての労働者の大幅一律賃上げ獲得をめざしてたたかおう。

第二に、非正規雇用労働者の「月例賃金改善」についていっさい求めない、と開き直っているＮＴＴ労組指導部を弾劾しよう！　正規・非正規の分断をうち破って劣悪な労働条件の抜本的な改善をめざしてたたかうのでなければならない。

第三に、「事業の成長・発展のために『人財への投資』を」という本部労働貴族の言辞の反動性を断固暴きだしてたたかおう。同時に「ＮＴＴの経営戦略を実現する」ために労使が協議することが組合運動の使命だとする労使協議路線をのりこえたたかおう。

第四に、反戦・反改憲、ウクライナ反戦、ネタニヤフ政権によるパレスチナ人民虐殺反対の闘いを職場から創意工夫して創りだそうではないか！　極反動ネオ・ファシスト岸田政権を打倒しよう！

われわれは、本部指導部の裏切りを今こそ暴きだし、大幅一律賃上げをめざして二四春闘の戦闘的高揚を切りひらこう！　われわれは、ＮＴＴ労働者の本部指導部への幻想を断ち切り、労働者の階級的自覚を促していこうではないか。そのためにフラクションを確固として創造し強化しようではないか！　すべてのＮＴＴ労働者は、二四春闘勝利のために全力でたたかおう！

ＪＡＭ春闘　大幅一律賃上げをかちとろう

荒川迪夫

二〇二四年三月十三日、集中回答指定日にＪＡＭの大手組合にたいする一斉回答がなされた。

発表された賃上げ額は、オークマ九七四五円、島津一万五三〇〇円＋その他賃金改善七五〇〇円、コマツ一万七三九〇円（うち非正規、再雇用分一三九〇円）などで満額やそれに近い回答で即妥結した。これをＪＡＭ会長・安河内賢弘は「これから続く中小企業の春闘に大きな勇気を与える」と評価した。だがこの「満額回答」なるものは、企業経営者と大手の会社派幹部との事前の腹合わせの結果なのだ。まずもってこうした、経営者と一体化した大手労組の労働貴族どもを怒りをもって弾劾しようではないか。これから春闘本番を迎えるＪＡＭ中小労組は、さらに厳しい闘いを強いられているのだ。

「連合」指導部、政府、経団連は一体となって、「春闘の最大の焦点は中小企業における賃上げだ」、この賃上げの原資を確保するには「労務費の価格転嫁」が必要だ、この賃上げにより経済の「好循環」を実現する、などと叫びたてている。ＪＡＭ本部もこれに呼応し、〝「労務費の価格転嫁」こそが賃上げに必要だ〟と叫び、春闘を「価格転嫁」要請運動にすりかえているのだ。

ＪＡＭ傘下の革命的・戦闘的労働者は、ＪＡＭ本部が今春闘を公正取引委員会・政府が昨年十一月に発した「価格交渉に関する指針」を活用しての「労務費の価格転嫁」要求交渉にすりかえようとしていることを断じて許してはならない。独占資本家どもと一体化し、〝賃上げのためには企業が生産性向上を図り「価格競争力」をもつことが必要だ〟とのたまい、労働者への労働強化を容認するＪＡＭ本部を許さず、〈大幅一律賃上げ〉のスローガンを掲げ、その実現めざして奮闘しよう。

「価格転嫁」と「公正取引」推進を叫ぶ　ＪＡＭ本部

ＪＡＭ春闘方針の第一の特徴は、昨二三春闘を物価上昇を下回る過去「最低の春闘」だったと評価しながらも、この春闘の状況を何としても打破しようとする気概も決意も喪失していることにある。ＪＡＭ本部は、超低額の「賃金改善分一万二〇〇〇円（四％相当）」をともかく要求せよ、しかも「賃金の絶対額を重視」した「個別賃金」要求にこだわれ、と傘下各労組に号令し、これを春闘の取り組みだと強弁しているのである。

彼らは「連合」方針を踏襲して、賃金の「底上げ」「底支え」「格差是正」のために、「ＪＡＭ一人前ミニマム基準」「標準労働者の要求基準」を目標とし、その達成に向けて「あるべき水準を設定」しろとしているのだ。昨年末のＪＡＭ春闘討論集会においては、「全員が物価上昇の影響を受けているため、全体を引き上げるという意味で、平均要求を優先した方がよい」という疑問が出された。にもかかわらずＪＡＭ本部は、こうした声を「個別賃金」要求に固執してきたみずからの指導への批判として受けとめ省みることなく、とにかく「ＪＡＭは基本的には個別賃金要求である」と強弁し、従来の方式を踏襲しているのだ。

第二の特徴は、「労務費の価格転嫁」による「賃上げ原資の確保」なる主張を全面化し、従来にも増して声高に主張していることにある。これは、首相・岸田文雄が「中小企業支援」と称して「価格転嫁対策とりわけ労務費の転嫁の強化」をおしだしていること、「連合」指導部も「中小企業の闘いを重視」し、その核心は「価格転嫁の促進」だ、としていることに呼応するものだ。さらに昨年十一月末に内閣官房と公正取引委員会が策定した「価格交渉に関する指針」がだされ、〝公取委のお墨付きを得た、これで労務費の価格転嫁はすすむだろう〟と手前勝手に思いこんでいる。彼らは、この「指針」にたいして、「付加価値の適正配分を求め続けた八年間の取り組みがようやく実現した」などと発言し、有頂天になっている。彼らはこれを、ＪＡＭ本部が長年提起してきた、「価値を認め合う社会へ」を掲げた取り組みの成果として謳いあげているのである。

第三の特徴は、賃金要求を実現するための手段としてのストライキ、決起集会などの取り組みについては、例年の方針展開を踏襲して、おざなりに提起していることにある。ＪＡＭ本部は、資本家どもの賃金抑制攻撃にたいして、職場から階級的団結を創造して反撃する意思などまったくないのだ。

「価格転嫁」要請運動への歪曲を許さず闘おう！

実質賃金低下への反撃を放棄した低額要求

われわれは第一に、ＪＡＭ本部による下部組合員の生活苦とはまったくかけ離れた一万二〇〇〇円の超低額要求の強要に抗して〈大幅一律賃上げ〉をめざし、職場から闘いをつくりだすために奮闘しなければならない。

ＪＡＭ本部が「物価上昇に負けない賃上げ」として提起した一万二〇〇〇円要求なるものは、生活苦にあえぐ労働者・人民にさらなる貧窮を押しつけるものでしかない。政府統計ですら、二〇二三年の実質賃金は二・五％も減少している。物価上昇率は前年比三・一％の実に「四十一年ぶりの水準」である。調査品目五〇二二品目の約九割が上昇しており、タマゴやトイレットペーパー、牛乳などの生活必需品は一〇～三〇％も上がっているのだ。さらに三月には三四〇〇品目、四月には四八〇〇品目の値上げが予定されている。

会長・安河内は昨二三春闘を、昨春から夏の時点には「これまでとは次元の違う賃上げが実現した」などと自賛していた。ところが今年一月二十四日の労使フォーラムにおいて彼は、「三十年間で最低の春闘だった」と評価をひっくり返しているのだ。この無責任きわまりない豹変ぶりは、狂乱的な物価高騰のなかで、下部組合員の反発・不信をかわすためのものなのだ。今春闘においても同様に賃上げよりも物価高騰が上回り、実質賃金が低下して、さらに下からの反発が高まることを恐れたに違いない。

いま、圧倒的多数の労働者は一層の貧窮に追いこまれているのだ。とりわけ子育て世代の労働者たちは、残業なしでは生活できないギリギリの苦境に追いこまれている。そして「最低限の目標」とされる、ＪＡＭの三十歳、三十五歳の「ミニマム基準」さえ六割が未達成という低賃金水準が生活苦にさらに追い討ちをかけている。ＪＡＭ本部は、このような労働者の生活苦に思いを馳せることなどまったく欠落しているのだ。彼らは「物価上昇、世間・産別相場など、ＪＡＭとして一致して取り組みができる水準」を「総合的に勘案」した、などと語って、一万二〇〇〇円という超低額要求を平然と掲げているのだ。断じて許せないではないか。

「労務費の価格転嫁」要請運動の反労働者性

第二に、われわれ戦闘的・革命的労働者は、賃上げ闘争を「賃上げ原資確保」のための「労務費の価格転嫁」要請運動、すなわち春闘を中小企業経営者の納入先大企業の独占資本家どもとの価格交渉への尻押しに解消しようとしているＪＡＭ労働貴族の抑圧をはねのけて、断固たたかわなければならない。

会長・安河内は、「物価に負けない賃上げをおこない、デフレ脱却、経済の好循環実現のためにも、労務費の適切な価格転嫁が必要だ」と昨年十二月のＪＡＭ春闘討論集会でぶちあげた。かの十一月末の内閣官房と公取委の「指針」を「画期的」だと絶賛し、「実効あるものにしていく」などと得意げに吹聴したのだ。

　彼らは、今がチャンスとばかりにこの「指針」に依拠して「価格転嫁と賃上げ実現の要請書」を方針書に掲載し、「労務費を含めた価格転嫁による適正な収益確保と、組合員の賃上げを実現することで日本経済の好循環につなげ」ようと呼びかけている。

　それだけではない。中小企業経営者どもと対峙して賃上げをかちとる闘いに労働者を組織化することなどあらかじめ放棄して、中小企業における賃金闘争を「価格転嫁」を労使一体になって親企業・納入先企業に要請する「価格交渉」に解消しているのだ。こうした方針こそは、企業経営者が振りまく「支払い能力」論にからめとられてしまっているものにほかならない。そうすることによっては、価格転嫁を勝ちとるためには「企業収益の確保」のために生産性の向上、技術開発をやらねばいけない、というように労働者・下部組合員は経営者の立場でつねに考えるようにされてしまうのだ。

「連合」メーデーを闘うＪＡＭ労働者（4・27）

　ＪＡＭ本部がこのような方針を考えるのは、彼らがまずもって企業の「賃金原資」なるものを確保するという、賃金をコストとみなす資本家と同様の考えにおちいっているからである。

　この考えは、根本には「労働賃金は『労働の対価』であって、支出された労働量にたいして支払われる報酬つまり『労働の価格』である」とする「賃金コスト」論あるいは「労働の対価」論（黒田寛一『革新の幻想』こぶし書房刊、二六〇頁）によって基礎づけられている。けれども「賃金とは、労働の対価、支出された労働の価格ではない。すなわち、Ｗ＝ｃ＋ｖ＋ｍのなかのｖ部分ではない。……労働市場における、貨幣商品所有者としての資本家への労働力商品の販売、この労働力商品の価値の貨幣的表現が賃金なのだからである。……賃金は現実には後払いであったとしても、本質的には前払いなのである。」（同二六〇～二六一頁）

「価値を認め合う社会」論のまやかし

ＪＡＭ本部はこの「公正取引」、「価格転嫁」要求を、「価値を認め合う社会」実現のためのものと称し基礎づけている。われわれはこうしたＪＡＭ本部による〝理論的粉飾〟のエセ性を暴きだし批判しつつたたかわなければならない。

『『労働』と『製品』の価値が正しく評価される『価値を認め合う社会へ』』の実現を運動として推進する」と謳うＪＡＭ本部。彼らはこの「理念」を金看板として掲げながら、「中小企業・サプライヤーが事業存続の危機」を救済するには、「取引環境の改善」＝「公正な取引」が必要だと叫んできた。

彼らがつねに主張する「公正な取引」とは、「公正」な値段で製品を買うことを認め合う社会だと言いたいのだろう。

「価値を認め合う」のは一体誰と誰なのか。ＪＡＭ本部が想定している買い手は独占体や大企業であり、売り手は納入者たる中小企業・下請企業である。この商品取り引きにおいては、独占体・大企業がその力を背景にして無慈悲に大幅な価格引き下げや納期短縮をつねに強要し、中小企業・下請企業からその製品を安値に買いたたき、このことによって莫大な利潤をむしり取っている。買いたたかれる中小企業・下請企業の資本家は、これをとり戻し、自己の利潤を確保するために、配下の労働者に「企業生き残り」のためと称して徹底した労働強化と低賃金を押しつけているのだ。このような構造は、日本資本主義に根深くビルトインされている。ＪＡＭ本部の願望する「公正取引」なるものは、この日本的二重構造のもとでの労働者からの強搾取と彼らへの支配の苛酷さを、この基本構造には一指も触れることなく少しばかり緩和することを願望＝夢想するものでしかないのだ。

ＪＡＭ本部は「価値を認め合う社会」を掲げ、「公正取引」実現のために「価格転嫁」を労使一体で推進せよと号令している。いま「新しい資本主義」を語る岸田のもとで、文字どおり〝政労使一体〟での「価格転嫁促進」運動というべき、その実は大独占による価格つり上げがくりひろげられている。ＪＡＭ本部の「価格転嫁」要請なるものは、この一角に深ぶかと抱きこまれようとしているのである。

彼らがこのような方針と理念を叫ぶ背後には、ブルジョア社会の「自由」「平等」「公正」という理念への陥没がある。これは〝労使運命共同体〟意識をさらに醸成し、組合組織を弱体化するものでしかない。

彼らはこのような「価格転嫁」要請運動を、内閣官房と公取委がうちだした「価格交渉に関する指針」や、政府がおしすすめている「価格交渉促進月間」などを天までもちあげて、その実効性を高めるような要請を政府や関連省庁に、中小企業経営者どもとともにおこなっている。このことがあたかも〝闘争〟であるかのごとくおしだしているのだ。

スト・大衆闘争を放棄した本部を弾劾し戦闘的な闘いを！

第三に、われわれ革命的・戦闘的労働者は、大衆的な春闘集会、ストライキ闘争、決起集会、産別内外の統一闘争などの取り組みをいっさい放棄しているＪＡＭ本部に抗して、職場生産点からこれらの闘いを創造するために奮闘しようではないか。

ＪＡＭ本部が提起している闘争形態にかんする方針は、ストライキ権は「従来の労使関係を考慮しつつ確立」する、「四月のヤマ場は少なくともストライキ権を確立し、職場集会などの行動を起こす」というもので、この方針を毎年のようにくりかえしている。ストライキ権は、語ったとしても交渉の圧力手段としてでしかなく、「労使関係を考慮」して設定せよ、というように言うだけだ。決して〝ストライキ権を行使せよ〟とは言わないのだ。また決起集会の提起すらない。彼らは、労働者の決起を呼びかけることよりも「労使関係」を重視しているのだ。

この根拠は、「一方ではわが支配階級の労働者支配・弾圧の方法と形態があらゆる場面で緻密化され強化されたこと……、他方では労働運動指導部の運動路線の変質および労働組合そのものの帝国主義的変質が深まったこと、――このゆえに、賃上げのためのストライキという闘争形態は特殊的なものにおとしめられることとなった」（黒田寛一『賃金論入門』こぶし書房刊、二〇八頁）ことにある。

まさしくこのようなことを背景として、ＪＡＭの闘争形態が変質を極め、組織の弱体化が進行しているのだ。「脱退・解散する単組が後をたたない」（二〇二二年定期大会）とか、春闘での「交渉単位数」の減少（二〇一九年から五年間で七十九単組）などはこの証左にすぎない。

われわれ革命的・戦闘的労働者は、革命的フラクションでの組織的取り組みをめぐる意思一致にもとづき、左翼フラクションの創生・強化をすえて、組織活動を柔軟かつ大胆に展開することを基礎とし、この現実をくつがえすために職場から戦闘的な闘いをつくりだそう。

最後にわれわれは、ロシアのプーチン政権によるウクライナ侵略を打ち砕く闘いを、そしてイスラエルのネタニヤフ政権によるパレスチナ人民の大虐殺を阻止する闘い、さらに岸田政権による大軍拡と改憲を阻止する闘いを今春闘のただなかでおしすすめるために奮闘しよう。共にがんばろう！

郵政春闘　超低額回答・妥結を弾劾せよ

ＪＰ労組本部の裏切りを許すな！

駒形　大

二〇二四年三月十四日、日本郵政増田経営陣は、低賃金で苦しむ郵政労働者を足蹴にする社員一人当たり五・〇〇円（一・七％）の超低額のベースアップを回答した。それは一律ではなく、多くの郵政労働者のベースアップはたった二八〇〇円（〇・九％）でしかない。そのうえ非正規雇用労働者はゼロ回答だ。この回答に全国の郵政労働者から「こんなの許せない」と怒りの声が湧きあがっている。経営陣は、全国で何万台もの携帯端末機を廃棄して、新たにスマホ・モバイル機器などの設備投資には何千億円もの莫大な資金を湯水のごとく投入している。彼らは、それらの機器を導入して、われわれ労働者を搾りとるだけ搾りとり、物価高騰のもとで実質賃金の切り下げを強いる超低額回答をしたのだ。ふざけるな！

ところがこの回答をＪＰ労組本部は、会社の「最大限の回答だ」などと受け入れた。彼らは、経営陣と一体となって、「定期昇給」の見直し（廃止の検討）や一般職と地域基幹職1・2級との統合など「トータルでの新たな人事給与制度」の構築に向けた労使協議に今春闘を捻じまげたのだ。断じて許せないではないか！

郵政のたたかう労働者諸君！　怒りの炎で今春闘の低額妥結を弾劾する闘いを職場から断固創造しようではないか！

経営陣の超低額回答を受け入れたＪＰ労組本部

郵政経営陣とＪＰ労組本部が妥結した内容は——i、正社員一人あたり五一〇〇円（基準内賃金一・七％相当）のベースアップをおこなう。この財源をもちいて①全正社員一人あたり基本給二八〇〇円相当は全級・全号俸の改善をおこなう。②残りの財源で、一般職には一律一万円、地域基幹職の若年層の基本給および新卒初任給は一万円以上の賃金改善をおこなう。ii、時給制契約社員の時給単価引き上げはゼロ。iii、正社員の一時金は、ゆうちょ銀行には四・四ヵ月、日本郵政・日本郵便・かんぽ生命には四・三ヵ月を支給する。iv、特別一時金は全社員に一万五〇〇〇円を支給する、というものである。

（1）一体この妥結はなんだ！　郵政労働者にとってとうてい受け入れられるものではない。経営陣は、ＪＰ労組本部が組合員から突き上げられてシブシブ掲げた正社員一人あたり一万円の低額要求さえ傲然と蹴飛ばし、約半分の五一〇〇円の超低額回答をしたのだ。低賃金の一般職には生活改善にはほど遠い一万円の引き上げ、地域基幹職若年層の場合は一万一九〇〇円の配分、そこから順次逓減し中高年層は二八〇〇円であり一律ではない。要するに、大多数（正社員の半数以上約一〇万人）の郵政労働者の賃上げはたった二八〇〇円（〇・九％）なのだ。これを本部は「会社が判断できる最大限の回答だ」とほめちぎったのだ。

こんな低額妥結は郵政労働者にとって、実質賃金の大幅な切り下げでしかない。政府・総務省の統計でさえ消費者物価指数が三十ヵ月連続で上昇しつづけ、食料品・光熱費などのあらゆる生活必需品やサービスが値上がりしている。労働者の実感は二〜三割以上もの値上がりだ。このような物価高のもとで郵政労働者は食費を切り詰めるためにスーパーの割引品を買い求め節約しながら、あるいは食事をぬいたりしてカツカツの生活をしている。まさに郵政労働者にさらに苦しい生活を強いるものではないか。

とりわけ二八〇〇円の超低額の賃上げを強いられる中高年層・地域基幹職2級・3級・4級の労働者にとってはまさに生活破壊だ。彼らは、子供の養育費・教育費・親の介護費用・家族の食費などがいちばんに必要な年齢層である。中高年の地域基幹職の労働者は二〇一六年以降の七年間、ベースアップがなく実質賃金の切り下げを強要されてきたのだ。このような組合員の生活実態を無視して全級・全号俸の「賃金改善」という体裁を保つためにのみ〝〇・九％（二八〇〇円）だけはだしてくれ〟と、本部は自己保身から経営陣に泣きついたのだ。本部の言う「生活を守るための物価上昇を上回る賃金改善」とは、労働者の生活実感とはあまりにもかけ離れた組合員を欺く大裏切りの妥結なのだ。

（2）一般職への一律一万円の引き上げはなんら賃上げたりえない。

経営陣は、低賃金の一般職労働者を地域基幹職へのコース転換を餌にして、評価を意図的に厳しくし、労働者間で競争させ、さんざん会社の収益拡大のコマとして容赦なくコキ使っている。低賃金であるがゆえに狂乱物価に直撃されてきた一般職労働者にとって一万円こっきりの引き上げは、生活改善どころか実質賃金の低下の取り戻しにもならない。一万円上がったとしても一般職の初任賃金は二〇万円にも満たず、一般職であるかぎり生涯たった四万円程度しか賃金は上がらない。経営陣が一般職労働者を低賃金に固定化していることにはなんら変わりはないのだ。

地域基幹職の若年層の賃金引き上げも同様である。地域基幹職1級の初任賃金を一万六〇〇〇円程度引き上げても、社会保障費・税金などを差し引いたら、手取り二〇万円に届かない賃金なのだ。

経営陣に呼応して本部は、「人材確保に向けた初任賃金及び若年層への重点配分」を要求した。だが今回の妥結の意味するものは、一般職や若年層の生活改善のためなどではなく、あくまでも会社の「労働力確保」策に協力するためなのである。それは、労働者全体の一律の賃上げを放棄し労働者を分断するものにほかならないのだ。

会社別一時金支給を弾劾せよ

（3）経営陣は一時金について、郵政民営化いこう初めて会社別に格差をつける回答をした。これまでは、日本郵政グループ（日本郵政、日本郵便、ゆうちょ銀行、かんぽ生命）として各社統一で一時金を支給していた。今回これをぶち壊して、ゆうちょ銀行にのみ四・四ヵ月支給とし、他の三会社は四・三ヵ月の支給としたのだ。経営陣は、ゆうちょ銀行が「外貨調達コストが増加しても、保有する株式の売却益」が「堅調」であることを口実にして、意図的に格差をつけたのだ。ゆうちょ銀行の業務を受けもつ全国の日本郵便の窓口労働者の一時金は四・三ヵ月であり、彼らを完全に無視したこの妥結に窓口労働者は怒りをあらわにしている。経営陣は一時金については今後、業績に応じて会社別に差をつけて支給する、すなわち〝一時金がほしければ、会社が儲かるように働け〟と、企業業績に連動して上げたり下げたりする〝アメとムチ〟を貫徹することを傲然と示したのだ。

この経営陣の会社別に差をつけた回答に本部は、何ひとつ反論することなく、四・五ヵ月要求を放棄し受け入れ、郵政労働者の分断を許したのだ。

非正規雇用労働者へのゼロ回答弾劾！

（4）経営陣は、本部の時給制契約社員（非正規雇用労働者約一七万人弱）の時給単価七十円の引き上げ要求にたいして、「現下の厳しい経営状況を鑑みれば困難」だとしてゼロ回答を突きつけた。

時給制契約社員は、低賃金で日々の激務に耐えかねて離職したり、あまりにも低い時給に、募集しても応募がない。募集人員に満たない状態が続いているにもかかわらず経営陣は、九年も連続で時給単価引き上げを拒否している。彼らは、「郵政最賃制」で「処遇改善」をおこなってきたと開き直り、時給制契約社員をスキル評価にもとづく加算給と正社員登用というニンジンをぶらさげ、会社のために身を粉にして働かせようとしているのだ。

いま時給制契約社員は、低賃金で生活が苦しく、体調が悪くても仕事を休めば賃金が減ってしまうがゆえに、休むこともできない。ダブルワークで生活を維持している労働者もいる。集配の時給制契約社員の場合は、ヤマトとの「業務提携」によって、ゆうメールや追跡サービス付の荷物が大幅に増え、正社員と同様に日々労働強化を強いられている。さらに、一年に二回もおこなわれる「スキル評価」で評価が下がれば時給単価を下げられてしまうのだ。彼らは、交通事故や郵便事故をおこさないように緊張を強いられながら、営業活動もになわされ超勤削減をも強いられ、必死に働かされている。

こうした時給制契約社員の現実には目もくれず本部は、経営陣に呼応して要求を投げ捨て、「郵政最賃制」にもとづく引き上げで十分だとばかりにゼロ回答を受け入れ、正社員登用数のわずかな拡大でお茶を濁したのだ。

経営陣は、こうした非正規労働者へのゼロ回答や超低額妥結、格差拡大を誤魔化すために、一回限りの特別一時金一万五〇〇〇円の支給なるものをおこなうとしているにすぎないのだ。

人事給与制度改悪に向けた労使合意を許すな！

今回の妥結の大きな特徴は、一般職と地域基幹職1・2級との統合に向けて一般職の基本給を一律一人あたり一万円を引き上げたことである。そして、「トータルでの新たな人事諸制度の構築を目指す」ことを経営陣と本部が合意したことである。

経営陣は現行の人事給与制度のもとでは、低賃金の一般職の労働者を地域基幹職と同じように働かせようとすると、不平・不満がたまり離職者が続出している現状を桎梏と捉えている。経営陣は、集配部門における「新たな集配体制・reiwaスタイル」の導入や窓口部門における「窓口オペレーション改革」と称する業務再編・事業の改革を進めるためにも、一般職と地域基幹職との早期の統合を実現しようとしているのである。

経営陣は、DX（デジタル化）と称して新たな技術諸形態を労働過程に導入することで「業務などの単純化」をはかったとみなして、統合後の大多数の郵政労働者の賃金を低く抑えこみこき使おうとしているのだ。人事給与制度の見直しについては、評価制度、昇給制度、退職手当制度、扶養手当制度、調整手当制度、人材育成施策、会社・部署間の柔軟な異動等、全体の見直しを公言し、「定期昇給のあり方については廃止も含めて見直す」と経営陣は傲然と言い放っているのである。経営陣は本部を従えて、地域基幹職1・2級の賃金カーブをいっそうフラット（水平）化したうえで、一般職との統合への道筋をつけただけでなく、人事給与制度の大改悪に踏みだしたのである。

「連合」メーデーに決起した郵政労働者（4・27）

本部は、一般職と地域基幹職の統合のための「重点配分」を労組の側から要求し、経営陣の人事給与制度改悪に棹さしたのである。まさに経営陣と一体化し、「JP労組が考える事業ビジョン案」をもって、経営陣の業務再編・事業改革に呼応して政策提言するのみならず、一般職と地域基幹職との統合について「同じ仕事でありながら合理的な説明が難しい処遇の差は解消する必要がある」などと統合を尻押ししている。彼らは統合後の「あるべき賃金カーブの定期昇給のピッチは狭まっていく」などと、経営陣が言ってもいないことを公言してはばからない。まさに彼らは、一般職と地域基幹職1・2級の低位平準化（低賃金の固定化）の統合を積極的に容認しているのだ。「人事給与制度」改悪に向けて経営陣との労使協議に邁進し、労働者を裏切る本部を絶対に許すな！

妥結弾劾の闘いを職場から創りだそう！

本部は今春闘での妥結結果を、「トータル四・〇％相当の賃金改善」ができた、とあたかも「生活を守るための物価上昇を上回る賃金改善」ができたかのようにおしだしている。本部は定期昇給が二％相当、ベースアップが一・七％、特別一時金が〇・三％、これらを合算して、四％の賃上げだというのだ。なにが「四％の改善」だ！　定期昇給はベースアップでもなんでもない。会社が財源を新たにもちだしたものではなく、会社の懐が痛まないものではないか。特別一時金は一回限りであり、ベースアップとは何の関係もない。

本部が「四％の賃金改善」とおしだすのは、組合員から強烈な突き上げを受けて、「物価上昇を上回る賃金改善」といった手前、それが実現できたかのように見せかけるためなのだ。みずから掲げたベースアップ一万円要求さえあっさり取り下げ、経営陣の五一〇〇円（一・七％）の超低額回答を唯々諾々と受け入れた反労働者性を覆い隠すためなのだ。

いま経営陣は、あくなき「生産性向上」のための労働過程のP―DX化（郵政版デジタル化）や麻布台ヒルズに象徴される不動産などへの投資には巨額な資金を投入し、株主には高配当で優遇している。それだけではない。彼らは、莫大な内部留保金を保持しつづけ、給与の高い局長や管理職を他企業よりも約三〇％も多く護持しつづけている。経営陣は、労働者には、「中期経営計画」にもとづく三万五〇〇〇人の人員削減を強行し、人員不足で欠員だらけのなかで労働強化を強制している。郵便料金値上げによって収益を確保しても郵政労働者には賃金を徹底的に抑制しつづけ、労働者に犠牲転嫁しているのだ。こうして経営陣は郵政労働者の搾取をいっそう強化しているのだ。この経営陣に会社の狗として全面協力する本部を弾劾せよ！

郵政のたたかう労働者のみなさん！　われわれは、＜大幅一律賃上げ獲得＞をめざして、二四春闘の戦闘的爆発をかちとるために奮闘してきた。だが本部の裏切りによってまたもや敗北を強いられた。今回の超低額妥結について組合員は、はらわたが煮えくりかえるほど怒っている。「ストをやってでも賃上げをかちとらないのか」「賃上げは一律でとるべきだ」と。われわれたたかう労働者は、大幅一律賃上げ獲得を改めて提起し、怒れる労働者を組織し妥結弾劾の闘いを職場から創造しよう。もって組合の戦闘的強化をかちとろうではないか。

いま組合員は、欠員だらけで仕事がきついうえにこの低額妥結はなんだ！　と怒っている。だが本部は、経営陣と口を揃えて「事業環境が厳しい」「財源がない」と組合員を恫喝する。低賃金を甘んじて受け入れろということなのだ。経営陣が利益を生みだすために労働者を低賃金で極限まで働かせることを是認しているのが本部なのだ。また、「事業の持続的な発展」が労働者の雇用・生活改善につながる、と称して労働者が職場を追われ犠牲になっても生産性向上に協力するように組合員を駆りたてるのが本部なのだ。このようになるのは本部労働貴族が「労使運命共同体」思想に冒され、労使協議路線に陥没しているからなのだ。

いま組合の脱退者が多く生みだされている。昨春闘での夏期冬期休暇の売り渡し、今春闘での超低額妥結など、組合員を裏切りつづける本部労働貴族こそ脱退者を生みだした張本人であり、一切の責任は本部労働貴族にあるのだ。われわれは、これを転回させるべく職場から奮闘しよう。今春闘での超低額妥結を満腔の怒りで弾劾しよう！　経営陣による人事給与制度の大改悪に反対しよう！　社宅への入居も許されず、住居手当も剥奪されてきた一般職の労働者と非正規雇用労働者の抜本的な待遇改善をかちとろう！　いまこそ大幅一律賃上げをかちとろう！　ともにたたかおう！

（二〇二四年三月二十五日）

出版二四春闘の高揚をかちとれ

大幅一律賃上げ獲得！　改憲・大軍拡阻止！

郷本　保

出版労連は三月十三日の統一回答指定日の翌日に「第一波統一行動・ストライキ」の一環として総決起集会を開催した。ここで労連の中心である教科書共闘の代表は、多くの単組が前年を超え妥結方向であると報告した。だが、「前年超え」といっても、定昇込み三%以下で実質賃下げでしかないのだ。出版労連本部とりわけ共産党系ダラ幹による賃上げ闘争の方針と指導によってもたらされたこの現実をわれわれは断固として弾劾する！

ストライキを敢行する単組もあり、今も多くの単組が大幅賃上げ獲得をめざして粘り強くたたかっている。われわれは「大幅一律賃上げ獲得！　改憲・大軍拡阻止！　ロシアのウクライナ侵略弾劾！　イスラエルによるガザの虐殺を許すな！」を掲げて最後までたたかう決意である。

A　産業大再編と出版労働運動の危機

斜陽産業といわれて久しい出版産業だが、大手四社（小学館・集英社・講談社・ＫＡＤＯＫＡＷＡ）は空前の収益をあげ好況を謳歌している。それは紙の出版物によるものではなく、コミックのスマホに向けたデジタル化、アニメ化による劇場公開やテレビ放映や配信、ゲーム化、キャラクターグッズなどの版権ビジネス、そしてこれらの海外市場への展開などによる。これらの多くは出版物の売り上げには入らないのである（二〇二三年の出版物の売り上げは、紙と電子を合わせて二・一％減で二年連続の前年割れ）。このように大手四社とそれ以外では、同じ出版産業という枠ではくくれないほどまでに産業構造が激変している。いわゆる「コンテンツ産業」へと変身をとげた大手四社は、要求を上回る一時金などによって、有能なコミック編集者と高度ＩＴ技術者の確保に狂奔しているのである（出版大手特有の年齢別男女同一賃金を維持しつつ）。そしてこの産業構造の変化に何とか対応しようとコミックに参入したものの、大手四社には程遠い準大手も中小コミック出版社からコミック編集者を引き抜いたりして何とかこれに追いつこうとあがいている。しかしコミック以外の出版物は、特殊なものを除けばデジタル化しても利益をもたらさないのであって、業績の二極化、三極化が進行するだけでなく、賃金・労働条件の格差も異常なまでに拡大していっている。中小零細出版社の倒産・廃業、書店の閉店、取次の業量減少によって多くの労働者が路頭に投げだされているのだ。

好況を謳歌する大手四社とは逆に、コミックを持たない中堅、デジタル化とは無縁の縮小する紙の出版物に依存する中小零細出版社や取次や書店は、出版物の売上減少、さらに用紙・印刷・製本代などの高騰に直撃されている。出版社、取次、書店の資本家・経営者は、これを口実として今春闘においても賃金抑制を貫徹し、売れる本をつくるノルマの強制、労働強化、長時間不払い残業の強要、労務管理の強化で生き延びようとしている。職場は荒廃し、いわゆるハラスメントが激増している。

取次のトーハンと日販は、両社の物流拠点の統廃合＝協業化が頓挫（三月末に両社から書籍返品部門の協業化が発表された。しかしこれは協業化というよりは、こうした再編の一環としてのトーハンによる日販の書籍返品部門の吸収といえよう）し、それぞれが独自の「流通改革」という名の「リストラ」をすすめてきたが、このようななかで起こったのがトーハンによる日販の大手取引書店の連続的奪取と、大赤字を理由とした日販のローソンとファミリーマートのコンビニ配送からの撤退である（コンビニ二社がコンビニでの雑誌販売をやめる可能性もあったが、トーハンが引き継ぐ形となった）。このコンビニ配送からの撤退と出版物販売以外に力点を置くかのような動きで、出版流通業界における日販の信頼・地位は地に墜ちた。日販が、自社の赤字を減らすためには、出版物（主に雑誌）の売り上げ減少を加速しようが、大手出版社の売り上げに影響しようが構わないという行動に出たわけであるから、トーハンも大手出版社も激怒している。

問題は日販のコンビニ配送センターの廃止で、大量の非正規雇用労働者が解雇されるであろうということである。しかもこれとは別に、業績が急激に悪化している日販は「事業に合わせた体制」「身の丈に合ったサイズ」を掲げて希望退職の募集に踏みきった。日販は正規・非正規を問わず労働者の生首を切ることによって生き残りをはかろうとしているのである。他方トーハンは〝出版流通の王者〟然として、出版配送網の意義を訴え、書店マージン、流通コスト負担の改善を要求し、信頼が地に墜ちた日販の取引先をさらに奪取し、取次二強から一強体制へと再編しようとしている。

このように出版資本家どもは一切の犠牲を労働者に転嫁し、今春闘においても紙代、印刷代の高騰や業量減少を口実に、賃金抑制、大量解雇攻撃にうってでようとしているのである。

出版労連本部の右翼的変質

このような出版資本家どもによる攻撃をうち砕き、賃上げ闘争に決起すべき今、出版労連本部に異常事態が起こっている。毎月一日発行の機関紙『出版労連』が、今年になって一度も発行されていないのである。だから、「春闘に起ち上がろう」という呼びかけも、春闘情勢の分析も、春闘臨時大会の報告も一切なされない。かろうじて「春闘方針（案）」が別途発行されただけである。これで春闘がたたかえるのか！　機関紙を発行し組合員にたいして春闘の決起を促すという産別本部としてやるべき最低限のことさえ遂行できなくなっているのが出版労連本部なのだ。

そのような出版労連の混迷を浮き彫りにしたのが、本部が開催した学習会「ガザはなぜ燃えているのか」である。講師として選ばれた茂木誠はネット右翼・ユーチューバーであり、飛鳥新社やＷＡＣという誰もが知る極右出版社から著書を出し、労連の不倶戴天の敵であったはずの「新しい歴史教科書をつくる会」につながる人物である。そのことから組合員から学習会中止、講師変更を求める抗議行動が巻き起こったにもかかわらず強行された。このような講師を招いた学習会が許されたということは、共産党系役員の思想的背骨が折れているだけでなく、イスラエルによるガザの虐殺への怒りのかけらもないことの表れである。彼らは現にガザの虐殺糾弾の大衆集会には不参加をきめこんでいる。

出版労連の組織・運動が衰退してきたのは、共産党系役員による日本共産党の〝健全な資本主義発展〟論と〝中小企業との共同＝産業防衛主義〟路線にもとづいた運動づくり、すなわち「産業新生」路線による。そしてこの路線のもとで、産業防衛主義において共通する右派系役員とで野合した執行部が、出版資本家どもの賃金抑制などの諸攻撃を基本的に受け入れ、まったくたたかおうとしないからである。

それだけではない。共産党系役員が、政治問題にとりくむなと主張する右翼的な組合員の批判を避けるために、出版産業にかかわる「言論・出版・表現の自由」のみを問題にし、かつての「平和は産業の基盤」という主張さえひっこめ、九条改憲反対については口を閉ざし、改憲反対のための機関をつぶし、改憲阻止闘争を放棄したからでもある。

このように賃金闘争や憲法改悪反対闘争の放棄・歪曲によって、共産党系役員の思想的背骨がこれまですでに折れかかり湾曲していたものが、完全に折れ、思想的溶解を遂げているのである。数年前に書記局の中心人物が「賃銀は労働の対価である」と平然と語っていたほどであり、ブルジョア的思想に汚染されているのである。

このような本部による闘いの放棄・歪曲に抗して、革命的・戦闘的労働者は、組合運動を原則的におしすすめ、賃金闘争や憲法改悪阻止やリストラ反対の闘いの最先頭でたたかっている。

B　労連本部による春闘の歪曲を許すな

一　賃上げ闘争の放棄・歪曲

出版労連本部は二四春闘で生活防衛と非正規春闘を二本柱として掲げたが、たたかう意欲のかけらもみえない。

例年通り方針案を提起するにあたってのまともな情勢分析も無く、「三〇年間経済が停滞し『賃金が上がらない国』となっている」「名目賃金の伸びが物価上昇率に届かず実質賃金が減少」「政府・財界・経済の専門家も『持続的な賃上げ』の必要性を認めています」という今春闘の情勢認識らしきものが書かれているにすぎない。そして「二三春闘は五％の目標には届かなかったものの二・五一％と二一世紀最高の賃上げ」と自画自賛し、「この勢いを途絶えさせることなく高水準の賃上げ獲得をめざし生活防衛を勝ち取ろう」という。

日本が「賃金が上がらない国」になり「実質賃金が減少」していることを、経済の停滞や物価上昇のためである、と客観主義というのももったいないほどに他人事にしている。そうなったのは、「連合」指導部はもちろん出版労連を含む「国民春闘共闘」＝「全労連」の指導部がブルジョアどもによる賃金切り下げ攻撃に屈服しつづけてきたからではないか。

本部は政府・財界が語る「持続的な賃上げ」に期待をよせているかのようだ。だが、それは労働生産性向上が前提であり、「構造的賃上げ」の名のもとにリスキリング、日本型職務給、労働移動の円滑化を強要し、「付加価値増大」に寄与したとみなす労働者にのみ選別的に賃上げするというものなのだ。それを暴露しないのだから、組合員に政府・財界への幻想を煽る犯罪行為である。ましてや実質賃金の低下を招いた二三春闘を「二一世紀最高の賃上げ」とし「この勢いを途絶えさせず」とまで言っているのでは、「連合」会長・芳野友子とどこが違うのか！　実質上賃下げとなった昨春闘なみで御の字と考えている腹が見え見えなのだ。

①「連合」以下の定昇込み「獲得指標」

出版労連本部は「物価高が続く中での生活改善のためには五％（生活防衛三％＋生活向上二％）程度の賃上げが必要である」として、「獲得指標」を「誰でも定昇込み一万円以上」とした。五％以上の「連合」以下である。生活必需品の値上がりはこの二年間で二〇～三〇％であるにもかかわらず昨年同額の超低額「獲得指標」は許し難いではないか！

このように低額「要求」となったのは、好況を謳歌する大手四社などを除けば、中小零細出版社が、出版物の販売不振に加え、円安による紙代・印刷代の急高騰や諸経費増の影響から、経営不振にあえいでいるという状況があるのをみた労連本部が、大手以外は大幅な賃上げには応えられないだろうと経営者どもに忖度しているのだ。書記長は「経営も物価高の影響を受けている」などと公然と出版資本家にエールを送ってさえいるのである。

②統一したベースアップ要求の放棄

要求方式は「定昇＋一律ベア」であるが「ベースアップの獲得を重視」としながら、昨年通り「定昇込み一万円以上」の「賃上げ獲得指標」である。しかも出版労連としての統一したベースアップ要求額をうちださず、各単組・業種別小共闘まかせなのである。このようにあらかじめ産業別の統一要求による産業別統一闘争を放棄しているのである。

しかも賃上げ要求ではなく、定昇込みの「賃上げ獲得指標」である。労働組合としての「賃上げ要求」と、賃上げ闘争の妥結のさいの「落とし所」のようなものを「賃上げ獲得指標」という表現で意図的にあいまいにしているのである。闘争の目的と結果が区別できないというスターリニスト的頭の回し方は、思想的骨は折れても温存しているということである。しかも「定昇込み一万円以上」であることによって、定昇制度が存在している一定の単組ではおおむね一万円程度の定昇があることから、協定どおり定昇が実施されればそれだけでほぼ超える水準なのだ。〝ベアなし〟をあらかじめ容認するものではないか！　このような定昇込みの「賃上げ獲得指標」を掲げることは春闘の歪曲・放棄の紋章である。

メーデーを闘う出版労働者（５月１日、東京）

要求の基礎づけについては、労連の賃金にたいする考え方は「生計費原則」だ、というだけにすぎない。かつてのように「出版労働者にふさわしい賃金」とか労働基準法に依拠した「人たるに値する生活」とかの根拠が示されるわけでもなく、ただただ惰性的にくりかえしているだけなのだ。しかもこの生計費原則なるものを、「生計費原則の観点からは、ベアの獲得を重視するとともに（経営の厳しいところでは）夏季一時金とセットで年収アップを目指すことも必要」などと、ベースアップなしでも年収が上がればいいじゃないか、と言わんばかりの驚くべき主張を支える根拠にさえしているのだ。

③非正規雇用労働者の待遇改善の放棄

出版労連本部は柱の一つに「非正規春闘」を掲げたが、非正規雇用労働者の要求は「均等待遇の観点から、企業内最低賃金の『時間額一五〇〇円以上、月額二一万円以上』」と昨年同額でしかない。しかも「非正規春闘」の呼号にもかかわらず具体的に展開されているものは、地域別最低賃金の大幅な引き上げが必要ということだけだ。このことはこれまでと同様、取次や書店などに多い非正規雇用労働者の当該企業における賃上げ闘争（対経営者の闘い）を事実上放棄し、非正規雇用労働者の賃上げの実現を「最低賃金の引き上げ」と「全国一律最賃制の確立」に解消していることを意味する。「非正規春闘」の呼号とは裏腹に非正規雇用労働者の待遇改善は最賃頼みになってしまっているのだ。

④「抗議の意思」でしかないストライキ

闘争方式・闘争形態はこれまでどおりのものが惰性的に提起されているだけだ。第三波まで「統一行動・ストライキ」が設定されているが、決起集会は第一波だけである。それも惰性的かつ観念的であるためストを打って参加することが前提とされて午後五時半開始である。これではごく限られた活動家しか参加できず、産別全体で大衆的に総決起する場という設定ではないのである。しかもZOOM併用のため、コロナ下以来のうらさびしい決起集会となることは目にみえている。

昨年のわが革命的・戦闘的労働者の批判にノックダウンされて「ストライキは納得できない回答を拒否して抗議の意思を示すこと」というものから「納得できない回答については、毅然と拒否してスト権を行使しましょう」と表現を変えているが、表現を変えたとしてもそれが「抗議の意思」を表すものでしかないのは同じである。

われわれはあらためて謀略に倒れた同志杜学の言葉をかみしめるのでなければならない。「ストライキというものの中に革命のヒドラがはらまれている……従属的な位置にしかいない労働者が生産活動の主体であるということ、……社会の主人公がほかならぬ労働者階級であるということが、暴露される」

（杜学『革命的左翼の思想』こぶし書房刊、四〇六〜四〇七頁）。

二　大幅に後退した反改憲方針

憲法についてはこのかん「言論・出版・表現の自由」のみで九条改憲反対には口をつぐんできたのであるが、今春闘方針では「言論・出版・表現の自由は憲法のもとで発揮できる」としつつ、「憲法審査会の審議は不十分」で「拙速な改憲論議には反対」と、憲法改悪反対どころか、憲法改悪のために存在する憲法審査会で十分時間をかけて論議しろと尻押しするものへと大転換をおこなった。共産党系はこれを隠蔽するかのように「具体的方針」に「憲法を守り活かすため、憲法改悪に反対する諸行動などにとりくむ」をなんとか残した。「改憲論議をタブー視することなく憲法の民主的条項を活用する」という混乱した表現に、出版労連の状況が表れている。退潮する共産党系ダラ幹は、みずから憲法改悪反対のための機関をつぶしてきたがゆえに、労働組合に政治をもちこむなと主張する部分とまったく対決できず、改憲の危機に直面している今、改憲阻止にたちあがろうと呼びかけることを放棄しているのである。

三　反リストラ、労働強化・長時間労働反対の放棄

出版産業の縮小、ＤＸ化の進展などの産業構造の激変のなかで、賃下げや解雇、希望退職などの諸攻撃によって、さらに長時間労働の強要、労働強化や労務管理の強化によって労働者は苦しんでいる。職場が荒廃するなかで「ハラスメント」も激増している。これらが、とりわけ長時間労働が職場や出版労連の運動と組織の衰退の基礎にある大きな要因でもあるのだが、労連本部は「出版労連内の多くの単組が課題と言えるテーマです」「長時間過密労働の軽減・解消のために、労使間協議にとりくむ必要がある」と、それを許してきたみずからの責任にふれることもなく、他人事のように言っているのだ。臨時

大会では、日販のコンビニ配送からの撤退にともなう雇用問題に危機感を表明する意見もあったが、書記長は総括答弁でこれを無視した。反リストラ、労働強化・長時間労働反対の闘いは完全に放棄されているのだ。

C　大幅一律賃上げ獲得！　反戦・反改憲の炎を！

今春闘におけるわれわれの第一の任務は、いうまでもなく大幅一律賃上げを獲得することである。このかんの物価高騰にもかかわらず定昇込み五％程度という「連合」労働貴族以下の、実質的に賃下げにしかならない超低額の賃上げ要求ならぬ「獲得指標」を掲げる労連指導部、共産党系ダラ幹を弾劾し、戦闘的な闘いをつくりだそう。「全国一律最賃制の確立」への賃上げ闘争の歪曲を許さず、劣悪な労働環境に苦しむ非正規雇用労働者の大幅な賃上げを実現しよう！　賃上げは労働者の団結した力でこそかちとることができるのである。賃上げ闘争の只中で決起した出版労働者に賃金労働者としての自覚を促し、「賃金奴隷制度撤廃」を意志する労働者をどしどしつくりだしていこう。

出版産業の縮小と産業構造の激変のもとで、リストラや早期退職という名の希望退職などの解雇攻撃、労務管理強化や長時間労働強要が出版社、取次、書店と業種を問わずうち下ろされている。さらに日販のコンビニ配送からの撤退によってコンビニ流通センターの未組織の非正規雇用労働者が大量解雇されようとしている。本部の闘争放棄を弾劾し、既成指導部の裏切りによって死語と化した反合理化闘争をよみがえらせる精神でたたかいぬくことが第二の任務である。また職場で横行するパワハラ・いじめにたいする闘いを、それが生みだされる根源が労務管理強化や長時間労働やノルマの強要であることを明らかにしながら、これに反対する闘いと結びつけてつくりだそう。

第三には、反戦・反安保、改憲阻止、大軍拡阻止、反ファシズムの闘いを創造することである。岸田政権は、米世界戦略と一体化して日米軍事同盟を対中攻守同盟として強化しようとして、敵基地攻撃能力の保有、大軍拡に突進している。南西諸島の軍事要塞化と、辺野古新基地建設を強行している。そして日本を戦争をやれる国にする総仕上げとして憲法改悪に突進している。

今こそ労働組合が改憲阻止の闘いに総力をあげて決起すべきであるにもかかわらず、出版労連の憲法方針は、「憲法審査会の審議は不十分」で「拙速な改憲論議には反対」と目を疑うようなものに転落している。出版労連指導部による改憲阻止や軍拡反対闘争の放棄に抗し、共産党系を含む広範な労働者を組織し、出版労連のなかから改憲阻止・軍拡反対の闘いを創造しよう。

さらにロシアのウクライナ軍事侵略弾劾、イスラエルのパレスチナ人民ジェノサイド阻止の反戦闘争を巻き起こそう。現代世界の戦争の危機を真に突破しうるのは、国境を超えた労働者・人民の国際的な反戦闘争の創造以外にはないのだ。

またマスコミの多くが〈鉄の六角錐〉の一角としてからめとられ、支配階級の宣伝・扇動に努めている。この〈鉄の六角錐〉の内側から、マスコミのファシズム的反動化阻止の闘いを創造しよう。

出版戦線の深部から二四春闘を戦闘的につくりだしていくただなかで縦横無尽にフラクション活動を展開し、組合組織と組合員の戦闘的強化を実現しよう。

新春早々の能登大地震と被災者見殺し、スターリンの末裔によるウクライナ侵略と没落帝国主義アメリカにバックアップされたシオニストによるパレスチナ人民虐殺というなかでの二四春闘である。この現実に揺さぶられた労働者も少なからずいる。また業界特有の「マスコミ人」的職能意識に汚染されている労働者たちもいれば、非正規雇用でその日暮らしの労働者もいる。そしてともに物価高騰によって生活苦にあえぎ、長時間労働と労働強化に苦しんでいる。おのれの存在とは何か、労働者の団結はいかにあるべきかと考えさせるイデオロギー闘争を展開し、オルグしよう。二四春闘の勝利のためにともに奮闘しよう！

能登半島大地震
水道インフラ復旧の遅れで続く断水

水野　剛

上下水道一体の〝民営化〟＝「ウォーターPPP」を許すな

能登半島地震から一ヵ月半、犠牲者はわかっているだけでも石川県内で死亡者二四一人、安否不明者九人であり、いまも約一万三〇〇〇人の被災した人びとが避難生活を強いられている（二月十六日時点）。「震災関連死」が十五人もうみだされるほどに劣悪な環境のもとに放置されたままなのだ。この被災人民が被っている災害は、たんに〝自然災害〟としてすますわけにはいかない。軍事演習を優先して自衛隊の大型ヘリコプターの投入を遅らせるなど、岸田政権の〝無為無策〟のゆえの、まさに被災人民を見殺しにした〝人災〟にほかならない。ふざけるな！

いまだ〝断水〟は石川県内（能登地方）で二万七〇〇〇戸で続いており、珠洲市ではほぼ全域である。連日報道されている〝上下水道インフラの破損と復旧作業の遅れ〟は、岸田政権による〝無為無策〟をあますところなく示している。しかもそれは、歴代自民党政権による〝平成の市町村大合併〟や「行財政改革」「公共サービスの産業化」の名による上下水道事業における業務委託拡大などの反労働者的な諸施策がうみだしたものにほかならない。これらの施策によって、上下水道職場では人員が大幅に削減され（ピーク時から四割減）、残された水道労働者は極限的な労働強化を強制されるとともに、技術継承は途絶え〝現場力の喪失〟という深刻な事態をも招いているのだ。

輪島市内で上下水道復旧工事（２月）

許せないことに岸田政権はいま、この震災と断水の長期継続を利用して、〝上下水道事業の危機〟を謳い「ウォーターＰＰＰ」（公共施設等運営事業：「民間資金等活用事業」）なる現場（運営）部門を民間企業に委ねる方策を導入して、現在の水道労働者を切り捨てようとしているのだ。盗人猛々しいとはこのことではないか。

歴代自民党政権およびこれを引き継ぐ岸田政権・自治体当局が遂行してきた人員削減や業務委託によって、水道管や諸施設の老朽化、人手不足＝現場力の喪失、という〝危機〟が、身動きができないほどに深刻化している。たとえばこれまでのペースで老朽管の交換をやっていては、すべてを終了するのに一三〇年以上はかかるといわれている。彼らはこの〝危機〟をのりきるためであるかのようにおしだして、民間企業の参入を促し、彼らに利殖の場を提供しようというのだ。それによって、これまでの経験を蓄積してきた現場の水道労働者を放逐（クビ切り）しようとしている。だがそれは、今回のような災害時の全国的な応援体制をも破壊するものにほかならない。自治体労働者は「ウォーターPPP」の導入を阻止し、反人民性をむきだしにしている岸田政権を打ち倒すのでなければならない。

なぜここまで上下水道インフラの復旧作業が遅延するのか

七尾市の一ヵ月半後の現実

震災から一ヵ月半を経た今日においても、岸田政権・現地自治体当局者は、上下水道にかんする被災の全体把握も復旧作業の目処を立てることもできないでいる。たとえば七尾市（人口約五万三〇〇〇人）では、驚くべきことにいま(二月十六日)も約七七〇〇戸（ほぼ全地域の半分）で〝断水〟が続いている。〝断水解除〟されたと彼らが称しているところでも、すぐに家庭の蛇口から飲料水が飲めるわけではない。ほとんどが仮・復旧作業（配水池・貯水槽までの配水）が終わっているだけである。

大地震による土砂崩れなどで道路が寸断され、上水道施設は水源（河川・ダム・井戸など）から家庭の蛇口までの諸施設が破損している。下水道なら家庭から下水処理場までの諸施設に亀裂が入り、マンホールは道路より飛び出ているところもあるなど甚大な被害を被った。破損した上下水道インフラの修復を進めるためには、まずは道路が整備（がれきの撤去など）されなければならない。そうでないなら、家庭への給水もトイレの使用もできない。だから言いたいのだ。岸田政権よ！　即刻被災地に工事作業員・重機・資材を集中投入せよ！　独占資本の利害を体し、日本維新の会の抱きこみのための「大阪万博」を中止せよ！

また今回の断水規模＝設備の破損の甚大さからして、地元の職員数だけで復旧作業をやれるはずもない。七尾市でさえ上下水道職員は十二人（技術系は七人程度）しかいない。このような脆弱な体制の現地の水道課では、詳しい台帳（配管図）の作成もままならないし、被害情報の収集や復旧計画を立てることも難しい。だからこそ〝全国的な応援体制〟が重要となるのだ。他の自治体からの上下水道応援派遣団は、現地対策本部から割り当てられた地域を、一から既設配管の破損具合を調査し、復旧計画を策定し対処（仮復旧）することになる。

老朽管の更新の遅れが被害を拡大

なぜ、ここまで〃断水〃が広がったのか。それは、「法定耐用年数」（四十年）を超えた老朽化した水道管（全国で一四万キロメートル：日本列島縦断往復二十回分の距離）の入れ換えが進んでいないことにある。とりわけ歴代自民党政権による〃災害対策〃の無策にある。阪神・淡路大震災（一九九五年一月十七日）以降、東日本大震災、熊本地震を経るなかで、彼らは既設水道諸施設（管路・構造物）の耐震化や整備を口先では叫んできた。だが三十年も経ったというのに、なんと七尾市の水道管の耐震化率は二〇％程度であるし、全国平均でも四〇％そこそこなのだ。今回の地震でも、耐震化された管路の被害は報告されていない。政府・自治体当局者は「経営の効率化」の名のもとに、職員の人員削減には熱心だが、水道施設の耐震化をはじめとしたインフラ整備はおろそかにしてきたのだ。そのツケが被害を拡大しているのだ。

全国的な災害時の水道応援体制の弱体化

いまでも、全国各自治体から一定規模の応援を出すなどの、各自治体の〃水道事業体の応援体制〃の形式は変わらない。だがその内実が壊されてきている。すでに述べたように上下水道事業の現場部門を中心とした水道労働者の大量削減によって、応援派遣団の現場力も弱体化してきているのだ。どう復旧作業を進めるかを派遣団と現地の職員とで相談しながら、民間労働者と一緒になって現実に作業をおこなうことになる。だが派遣団のなかには、現場経験のない職員や入局一年目の職員が多く派遣されているという。それゆえに技術性を身に付けていない職員は、ただ被害状況の確認と、現場で民間労働者の作業を「監督」するだけ（眺めるだけ）とならざるをえないのだ。このように目に見えないところで、水道事業全体の現場力が衰退し〃応援体制〃の内実も弱体化しているのだ。

水道派遣団はいま、仮復旧をとにかく急いでいる。飲料水の製造工場である浄水場から給水地点の屋外配水池（あるいは貯留槽など）まで〝水〟を送りとどけるために、自在に曲げることのできるポリエチレン管（ホースのようなもの）などを使用した路上配管を懸命に布設しているのだ。本格的に水道管を復旧させるためには職員が漏水探知器を装着し、あるいは耳に聴診棒を当てながら水道管の漏水状態を確認する。もし漏水を発見したら業者が一ヵ所（一軒）ごとにアスファルトをはがし、順次水道管の破損箇所を修繕しながら前に進むのだ。なお宅地内は各家庭で対処することになるなど、復旧作業は途方もない時間を要するのだ。

上下水道は一体で復旧するもの

震災直後から連日報道されるのは、〝断水〟の解消と〝トイレ〟の復旧を急いでほしいという被災者たちの切実な声である。当然である。人間は、水を飲まなければ〝四〜六日〟で死んでしまう。飲食したものは排泄しなければならないのだが、下水道管も七割が破損したため〝トイレ〟も使用できない。トイレの復旧の場合、上水道が復旧すればそれで終わるわけではない。家庭のトイレから流れる水などが、下水道管をつうじて下水処理場に送られ、川に流せるようにしてはじめて使用できるのだ。

トイレだけの問題ではなく、台所や風呂などからの排水もあるのであって、生活そのものもなりたたない。だがこの下水道の施設は上水道より規模も大きく、復旧に相当の時間を要する。だから当座は仮設トイレなどで凌ぐしかない。だがそれすら不足しており、避難所においては衛生環境が悪化し、感染症が増大する恐れさえあるのだ。だからこそ、一刻も早い支援が求められるのに、岸田政権は急ぐ気配もない。なんてこった！　あの鉄面皮のようなツラを見るたびに、私は怒りがこみあげる。

現場業務を〝直営〟で守ることの意義

驚くことに、テレビ放映されていたが、いまでも現場部門の直営業務を守っている自治体があった。直営で職員がバルブ操作と復旧作業を一体でやっている姿が映しだされていた。おそらくこの自治体では〝災害時の派遣体制〟が日ごろから構築されており、一月一日の夜には給水車と共に被災地に直行したのではないか。他の自治体の水道派遣団は早いところで三日からであり、給水車と職員数名で作業に従事している。だが、彼らがまず着手したのは現地の調査作業であり、本格的に業者とともに復旧作業に従事したのはさらに数日後であった。

このように直営業務を守っているところとそうでないところでは、災害応援体制の差は歴然なのだ。被災人民に一刻も早く〝水〟を届けたい！　この思いをかたちにしているのは、その自治体で働く水道労働者の思いに違いない。

岸田政権による「創造的復興」の名の被災人民切り捨てを許すな！

ハレンチにも震災から一ヵ月後に、岸田政権の意（「経済・経済・経済」）をうけた地元知事・馳浩は、いまだ被災人民が瓦礫撤去や安否不明者の捜索をしているなかで記者会見を開いた。そこでなんと「創造的復興」、「たんなる復旧ではなく」などと語った。言うにことかいて、「元に戻すのが実は一番批判も出ないで簡単なこと」とはよくもいってくれた。こんなにも被災者の感情を逆なでする言葉はない。絶対に許せない！　そもそも港や田畑を修復し、被災人民がそれで生きてきた漁業や農業を復旧することなど、この男はサラサラ考えてもいない。観光道路を建設し、豪華宿泊施設を招致するなど、〝観光能登〟とすることをもくろむものが、この「創造的復興」なのだ。今なお多くの被災人民を劣悪な環境のもとに置き去りにしておいて、なにが能登半島の「創造的復興」だ！　被災人民を見捨てようというのだ。ふざけるにもほどがある！

上下水道の民営化阻止！　災害時の応援体制破壊を許すな

いまだ被災地では復旧に向けた作業が続けられている。自治体労働者は疲労困憊のなかにあっても、先頭にたって被災人民とともに働かなくてはならない。自治体労働者のがんばりがなければ、復旧作業は進まないのだ。それにしても、歴代自民党による自治体職員の大幅な削減攻撃による人手不足は目にあまる。それゆえに震災での被害の全体把握（安否確認など）も遅れることになる。もちろん岸田政権による現場無視の「プッシュ型支援」による物資の配送など論外である。避難所においてもどの現場においても指揮・命令系統もままならないのである。とにかく現地の自治体労働者と被災人民、全国からの派遣団職員の方がたの昼夜問わずの働きによって、復旧が進められているのだ。

水道労働者も同様に人手不足による現場力の喪失は深刻なのだ。だが岸田政権はそんなことはおかまいなしなのだ。新型コロナ感染症が昨年の五月に「五類に移行」したことをもって、厚生労働省の「感染対策強化」の謳い文句のもとに「生活衛生等関係行政の機能強化のための関係法律の整備に関する法律」を岸田政権・自民党は強行採決し、今年の四月から施行する。これまで「公衆衛生」の問題として位置づけてきた「水道行政」（厚労省の所管）をぶちこわし、水道整備と管理業務を国土交通省に、水質業務を環境省に分離し、上下水道のインフラ整備を国交省のもとで一体としてとりくむとしているのである。

それとともに現場（実施）部門の民営化策をうちだした。それが「ウォーターＰＰＰの推進」にほかならない。「ウォーターＰＰＰ」について政府・国交省は、「水道・下水道・工業用水道など水分野の官民連携強化」と称して、あくまでも民間企業が参入しやすくするために「民間企業の参画意向等を踏まえ、対象施設を決定する」などと彼らに最大限の便宜を図りながら、最終的にはコンセッション方式（施設は公営とし運営権を委託）の導入をめざしている。しかも十年間の「ウォーターＰＰＰ」の目標を二二五件（水道一〇〇、下水道一〇〇、工業用水道二十五）とした。これによってもたらされるものは、現場で働く上下水道労働者のいっそうの放逐であり、災害時の応援体制の破壊にほかならない。

この「ウォーターＰＰＰ」をなんとしても推進す

るために岸田政権・国交省は、「上下水道一体効率化・基盤強化推進事業」の創設（昨年十二月十九日）を財務省に承認させ政府の政策とした。これを突破口としてこれまでのような地方自治体任せではなく、各省庁の職員が地方自治体に出張し〝相談役〟として介入しようとしているのだ。「プッシュ型支援」のように、政府が地方自治体をとびこえて「指示権」を行使しようとしている。まるで「地方自治法改正」（案）にある国の自治体にたいする〝指示権〟行使の先取りではないか。

自治体労働者は共に被災人民への支援活動を全力でとりくもうではないか！　それとともに「ウォーターＰＰＰ」の導入を阻止しよう。被災人民を見殺しにする岸田政権を打ち倒そう。

水道の広域化・民間委託拡大による能登地震被害の甚大化

安奈水徹

能登半島一帯に甚大な被害をもたらした大震災から三ヵ月余。岸田政権の「北陸応援割」や北陸新幹線延伸の喧騒とは裏腹に、能登地方はいまだに断水が続き、被災者たちは耐え難い生活苦にさらされている。強制的に「二次避難」させられた被災者は、水道が復旧しないがゆえに帰るに帰れず、避難先をたらいまわしにされている。

困難を極める水道・下水道の復旧作業

最大震度七の地震によって能登半島一帯の道路は寸断され、電気・ガス・水道・通信などの社会的インフラは破壊された。特に上下水道網は壊滅的被害をこうむり、十六市町一一万戸が断水した。東京都・横浜市・名古屋市など全国の各都市から迅速に駆けつけた上下水道労働者が現地の自治体労働者と力をあわせて復旧活動をつづけ、石川県では二月初めまでに九市町で断水が解消された。

しかし懸命の復旧作業にもかかわらず上下水道設備の破損があまりにも甚大であるがゆえに、三月二十日時点で輪島市では三八七〇戸、能登町一五〇〇戸、七尾市一五〇〇戸、珠洲市にいたっては全戸の九割四四三〇戸が断水状態のままなのだ。珠洲市で仮復旧が終わるのは五月末といわれている。熊本大震災、東日本大震災に比しても異常な被害の大きさといわなければならない。

これほどまでに被害が拡大したのは、石川県当局が水道管の耐震化率を全国平均の四一・二%をはるかに下回る三割程度に押しとどめ、「法定耐用年数」をはるかに超える老朽管を放置してきたからなのだ。各市内には漏水した箇所を耐震管や耐震型バルブに取り替えただけの老朽管（半世紀以上も昔のものもある！）が大量に残されている。これらの耐震化されていない水道管は、震度七の衝撃を受けて接合部分が抜け・破断して使用不能になっている。

また政府・石川県当局が用水供給事業を広域化したことが設備の甚大な破損をもたらしたのだ。たとえば七尾市では、金沢市南方の白山町にある手取川ダムで取水した用水を市西部まで送水している約一四〇キロメートルもの長大な配水管が中能登の山中で十数ヵ所も破損し、この修復だけで一ヵ月間も要したのだ。

県当局は手取川ダムを建設した際に、莫大な建設費や維持管理費を回収するために、流域自治体に余剰となっている用水の供給契約を促し、県内自治体の用水供給事業を石川県水道用水供給事業のもとに統廃合した。七尾市にたいしては和倉温泉観光開発を名目にして県水の給水を押しつけた。七尾市当局は県水を一四〇キロメートルも離れた手取川ダムから取水・送水することと引き替えに、自己水源を放棄し、自前の浄水関連施設も廃止しさらに水道関連職員を大幅削減したのだ。このような水道事業の「広域化」のゆえに地元の被災者は、市内に「安価で良質な自己水」が豊富にありながら、三ヵ月たっても生活に不可欠な水を得られないのだ。

　復旧が遅れている原因はまだある。上水道以上に下水道管が破損し、この修理作業は大きく遅れているのだ。熊本地震や東日本大震災で被害を受けた下水関連施設は三割程度だったが、今回の大地震によって珠洲市などでは下水管の九四％が破損しているといわれている。七尾市では下水はほぼ不通である。

　水道管の耐震化を怠ってきた石川県当局は、まして下水の耐震化には二の足を踏んできた。地下水位が高い能登地方では、多くの場所で液状化現象が発生した。その結果、耐震管に更新していない水道管や下水道管はひとたまりもなく大きな被害を受けている。下水のマンホールも浮き上がったり沈下したりし、多くの場所で四〇キログラムもあるマンホールの蓋が飛んだりもしている。たとえ水道の断水が解消されても、これと同時に下水道管の修繕がともなわなければ下水管に排水した汚水があふれることになるので、通常通りに水道水を使うことはできない。被災者はいつまでも節水を強いられているのだ。

　また、道路に亀裂や段差ができて寸断

石川県水道用水供給事業と奥能登地方の主な浄水場などの位置

給水対象　対象外　送水管

七尾市の水道水は140キロも遠くから供給

されているだけでなく、二万を超える家屋が倒壊し、多くが道路にかぶさっている。通行不能になり、残された道路に車が集中し長時間の渋滞が発生している。現場到着が遅れて作業時間が確保できず、復旧活動も困難になっているのだ。

復旧作業に奮闘する上下水道労働者

①上下水道の復旧作業は困難を極めている。復旧作業にあたるべき地元の各市町当局は、そもそも水道担当者を数名しか配置していない。専門の技師はいても極少数でしかなく、通常の修理作業もすべて民間に委託している。上下水道の維持管理に必要不可欠な配管図などの図面管理もほぼおこなわれていない。

このような悪条件のもとで、復旧作業は他県の各都市から駆けつけた水道労働者たちが中心となっておこなわれている。水道の応急復旧活動は、〝通水し、漏水箇所を発見し、修理する〟というサイクルをまるで尺取虫のようにくりかえす。本管を回復し、徐々に細い管を回復し、給水面積を少しずつ拡大していく気が遠くなるような地道な作業である。

②輪島市では、浄水場からの水をためる配水池につながる送水管とその先の配水管、さらに配水池も被災した。地元の水道局職員はわずか九人で復旧作業にあたった。一月五日に横浜市水道局、一月十五日に東京都水道局の支援隊が到着し、現在は山形市の支援隊も加わって作業を進めている。当初、支援隊は金沢市に宿泊しており、毎日五時間かけて現場の輪島市まで往復しなければならず、作業時間は四、五時間であった。

困難な条件下で、浄水場から直接仮設の水道管で水を送る応急対策がとられた。これと並行して、浄水場から遠い地域では三ヵ所に新たな臨時浄水場を設けて付近の川から取水する作業を進めている。しかし倒壊家屋が道路をふさいでおり、その下にある水道管やバルブは修理することができない。送水管はつぶれ、配水管は泥が流入してもいる。「通常の修理とはまるで異なる作業を技術や想像力をもってやるしかない」。一ヵ所の修理に数時間かかることもあれば、一日で終わらないこともある。

③珠洲市には名古屋市と仙台市・新潟市から応援隊が駆けつけた。名古屋市上下水道局の応援隊は、一月一日の地震発生から二時間半後には出発したという。

現地は地震によって珠洲市の九割に給水する宝立浄水場の配管が大量に破損し使用不能となっていた。最初は被災し断水している宝立浄水場を拠点にして、浄水場の機能を回復し給水タンク車に給水できるようにすることから復旧活動が開始された。損傷が激しいため、露出配管で新たに敷設を開始し、次の配水池に向けて無数にある漏水箇所を修理しながら数メートルずつ進む大変な作業の連続だ。

渋滞や迂回で作業時間が確保できない困難な条件下で復旧作業は朝七時半から夜の八時・九時まで続けられた。作業によっては徹夜で工事をやることもあるという。最初の派遣隊は風呂もなくトイレにも苦労した。疲れはてて一日を終えても眠りは浅い。

三月十日になって市役所や総合病院に給水できた。七十日かけて一〇キロメートルの配水管を復旧できた。しかしまだ給水管は手つかずで、ほぼ全域が断水したままだ。復旧作業は五月までかかるといわれている。

④七尾市では名古屋市上下水道局、富山・新潟市水道局の応援隊が復旧作業を進めている。

七尾市は、市の東部地区は井戸などから取水する自己水源であるが、西部地区は県水（石川県水道用水供給事業）という事業構成をとっている。このために自前の水源をもつ東部地区は復旧したが、県水の西部地区の復旧作業は大きく遅れている。

手取川ダムで取水した用水を、金沢の鶴来浄水場から二つの調整池を経由して七尾市西部まで延々一四〇キロメートルもの配水管を敷設し高圧をかけて送水している。高圧で圧送する配水管は地震によって途中の中能登の山間部で十ヵ所以上も漏水している。この漏水修理をくりかえして一月二十九日にやっと七尾市の藤橋供給点に着水したのである。

ところが「創造的復興」を叫ぶ県知事・馳浩は、「観光資源」とする和倉温泉への給水を最優先させ、被災者への給水を後回しにしたのだ。現在は給水点から各戸まで、破損した水道管を修理しつつ漏水箇所を特定・修理をくりかえす膨大な修復作業がおこなわれている。

しかし応援隊の作業は各家庭の水道メーターまでとされており、そこから先は被災民が自己負担で修理させられるのだ。修理業者には依頼が殺到しさらに二ヵ月も待たなければならない。

各家庭に給水するまでの復旧作業の遅延は、残された被災者人民を耐えがたい苦痛に追いこんでいるだけではない。「二次避難」させられた被災者の帰還を阻んでいるのだ。これは政府総務省・石川県当局による市町村合併と水道事業の広域化・民間委託拡大によってもたらされた人災にほかならない。

政府・県当局によってつくられた「現場力の喪失」

政府・総務省の相次ぐ市町村合併や水道事業の広域化、人員削減攻撃によって地方自治体・市町村職員は大幅に削減された。また、政府・総務省は、行政文書のみならず住民戸籍などをデジタル化した。ギリギリまで人員削減したうえに、「行政のデジタル化」の名のもとさらに省人化する攻撃を強行したのだ。

政府・総務省に追随する各自治体当局は相次ぐ人員削減を強行したことによって、各種インフラを保守点検する直営の技術者・技術力を喪失させてきた。

能登半島は急峻な地形であるとともに、高齢者比率が五〇%を超えて過疎化が進む限界集落が多い。歴代の自民党政権のもとで工業や産業の集積地が優先的に整備され、住民に身近な道路や橋などの社会インフラ整備はとり残されてきた。独占資本のための「新しい資本主義」を叫ぶ首相・岸田文雄や、地域ブルジョアジーの利権を追求する県知事・馳は、労働者・人民を置き去りにして、見栄えのする新幹線誘致や高規格道路の建設などを優先し、上下水道施設や半島を周回する生活道路などのインフラ整備をネグレクトしてきたのだ。

今回の能登地震での上下水道の甚大な被害と復旧の遅れをまえにしても、岸田政権は水道民営化をいっそう急いでいる。今二〇二四年四月から、水道関連業務を厚生労働省から国土交通省に移管するとともに、災害復旧費の国庫負担率を大幅に引き上げ、運営にあたる民間企業のリスクを軽減させる方策をうちだしている。

自民党政権は、二〇一八年十二月に水道法を改悪して「官民連携」の「コンセッション方式」(註)を導入した。これは水道資産を地方自治体が所有し、自治体との契約によって民間事業者に水道事業の運営をさせる民営化の手法である。しかしこの五年間、災害時の保障を負担する「災害リスク」を恐れて水道事業に手を挙げる事業者はいない。岸田政権はリスクは国がひきうけるとうちだすことによって、「コンセッション方式」のもとでの事業運営を担うことに二の足を踏む水メジャーの尻をたたいて彼らにより大きな利殖の場を提供しようとしているのだ。

水道民営化と委託拡大が進められるならば、公共サービスはすべて有料の受益者負担に切り替えられる。水道事業を請け負う民間企業は、経営効率優先のもとに技術の伝承など二の次にして低賃金の労働者やボランティアに作業を担わせるのであって、社会インフラである上下水道の脆弱化が飛躍的に進行することとなる。犠牲はすべて労働者・人民にまわされるのだ。能登地震の多くの被災者と献身的に復旧活動にあたる上下水道労働者をはじめとする多くの労働者は、岸田自民党政権の労働者・人民見殺しを告発しているのだ。

岸田政権による被災人民見殺しを弾劾することもなく「よりそう支援」を強調するにすぎない自治労指導部や、危機感もなく「公務公共を取り戻す」願望を対置する自治労連指導部を弾劾し、全国の職場から能登地震被災人民を支援し、水道民営化・委託拡大に反対してたたかおう！

註　コンセッション方式

自治体などが施設の所有権をもったままその運営権（料金設定権を含む）を二十年以上の長期契約で民間企業に売り渡すもの。二〇一八年に水道法を改悪したときに水道民営化の切り札として政府・総務省が導入した。

「差別表現」再考

島倉健蔵

1

出版社で働くことになった私は、編集の職場に配属されてすぐに、「差別語」の社外研修にいかされた。そこでは、作品に「差別語」あるいは「差別を助長する語」が使われていた場合は、筆者に指摘して削除するか、表現を変えるように指導された。そしてそれが、業務のひとつとなった。

そのことに何の疑問も抱くことなく数年が過ぎたころ、『解放』(第九四三号)に掲載された「差別用語」と題された益目梅太郎論文に驚愕させられた。「はたしてこの世の中に『差別用語』なるものが実在するであろうか」と始まるこの論文では、「けれども、『差別用語』なるものは実在しない。実在するように信じ込むのは、まさに言語物神にとりつかれているからなのだ」、「差別用語なるものを実体化して実在するかのように信じ込む意識からの解放こそが、あらゆる差別撤廃運動の出発点なのだ」と展開されている。革命的マルクス主義者の「差別用語」問題への立脚点はこのようなものなのかと眼を見開かされた思いがした。

その後、学習は進まなかったが、九〇年代になって、筒井康隆の「断筆宣言」が話題となった時、『差別表現』について」という文章を書いた(『解放』第一四五三号)。それは直前に発表された浦島桃太論文を学習して書いたものだが、言語学の論文は初めて学ぶものだったし難解で、きわめて不十分なものしか書けなかった。浦島論文のテーマが『実践と場所』(こぶし書房)第二巻Cで全面的に展開されており、益目論文も「C 言語的表現 4 表現と理解」の〔一八三〕として位置づけられていた。これを学んで、もう一度この問題を考えてみたいと思ってきた。

2

「言語物神にとりつかれた」言語論には、二つの系統が認められる。ひとつは、「言語」を外的世界にころがっている道具のようなものとみなし、表現者がそれらを選びとって表現が成り立つとするものであり、われわれにとっては、スターリンの「マルクス主義における言語学の諸問題」以来お馴染みのものである。もうひとつは、あらゆる言語学者が陥っている、人間の意識作用のなかから言語が生みだされる、とする考え方である。どちらの場合も、表現主体の立場にたって表現活動の全体を考察するのではなく、表現された結果としての表現形態を対象的に解釈するにすぎないことが、言語を実体化し実在化する誤謬に陥る根拠をなしているのだ。

こうした誤謬から脱却するために、黒田さんは「言葉」という語のあいまいさから説き起こす。「言葉」という語を使う場合、語られる「言の葉」の意味だけではなく、語られることそのものの意味をも担わされる。したがって、表現行為と表現内容の区別がつかなくなってしまうのだという。

「ここには、表現場が表現場として措定されていないだけではなく、次のような諸契機が未分化のままに『話し言葉』として扱われるのが常なのである。すなわち、①話されたこと(言語的表現態)、②話すこと・または発話行為、③話すために言葉(言語体）が用いられること（いわゆる語用法や用語法より以上のもの）、④発話以前の発話者自身の意識の流れ、⑤話されたことを受けとった受け手（聞き手）の意識の流れ（言語的表現態が意味することを理解したり了解したりする、という話し手には直接には見えない非対象的世界の働き）など。」（『実践と場所』第二巻、四〇一頁）

だから、『実践と場所』においては「言葉」は使わないのだという。

言語表現の本質を示すカテゴリーとして《言語》を規定する。

「《言語》とは、もろもろの語（語彙）を用い、歴史的＝社会的に形成され遷移し発達してきた表現上の諸規範＝社会的約束ごと（音声および文字形象にむすびついた語とその意味、語用法・文法・文章法など）にのっとって、他の表現主体にたいしておこなわれる表現行為に、この過程（表現主体相互間の意思伝達および応答のそれ）に、さらにその主体的・意識的根拠にかかわるところの本質的な概念である。」（『実践と場所』第一巻、一一五頁）

そして、言語表現を担う実体を大久保そりやの造語を使って《言語体》と規定する。《言語体》は、人間生活の社会的生産の長い歴史のなかで生みださされ、現在的には、辞書などにその意味とともに掲載されている。人間は生まれたときから、《言語体》ならびに《言語規範》を学習し習得する。習得され頭脳内に蓄積された《言語体》を《内―言語体》と規定する。人間はこうした《内―言語体》にもとづいて頭脳活動＝《内―対象化》をおこなうのだ。

――こうした外的世界と内的世界にまたがる構造を明らかにすることが「言語物神」を脱却するひとつの核心なのだと思う。また、観念論的傾向をまとった理論を唯物論的に転倒するための方法的基準を示してくれていると思う。

「言語的表現をなす主体がたとえ拠点にされていたとしても、次のような論理が没却されているかぎり、言語的行為論は言語的行為論としては成立しないのである。すなわち、①音声を手段としての対象化行為であるところの表現行為と、この行為によって対象化された言語的表現態との、つまり言語的表現行為の過程と結果との関係、ならびに②前者つまり言語的表現行為と、これの前提をなすとともにこれを措定するところの意識内部における《内―対象化作用》とが、異なる次元において成立するとともに、この両者が不可分にむすびついている、という関係。――このことが捉えられていないばあいには必然的に、言語的行為の産物（表現態）の対象的解釈になり終るか、さもなければ言語的表現（行為）が人間意識の奥底の暗い闇からの湧出として解釈される（このばあいには、感性的世界における対象化＝表現行為が《内―対象化作用》に還元されることになる）か、そのいずれかの誤りにおちこむことになるのである。」（『実践と場所』第二巻、三九七頁）

《言語体》は、形式と内容から成立つ。それぞれを、ソシュールは「シニフィアン」と「シニフィエ」と呼ぶが、内容から切り離された形式も、形式から切り離された内容もありえないことからそれぞれを《シニフィエ的シニフィアン》と《シニフィアン的シニフィエ》と規定する。後者は、指示対象（外示＝デノテイション）と意味（内示＝コノテイション）を持つ。「指示対象」とは、外的世界で妥当する事象ということである。

「指示する感性的対象が存在しない抽象語をふくめた言語体のすべては『何かについて・何かを意味する』シニフィアンであるからして、言語体の形式面（文字・音声）と不可分なその内容面（指示対象の有無および意味）を、言語体のシニフィアン的シニフィエであると定義する。こうして、われわれは、ソシュールの術語を用いながらも、この術語を唯物論的に解釈がえしつつ使用するのである。」（同上、五〇五頁）

野間宏や養老孟司のように「山」という象形文字および「ヤマ」という音がシニフィアンであって、この「山（ヤマ）」という語の意味（シニフィエ）は山そのものである、と考えるものもいる。

「こうした言語体による指示をつうじて、指示する語と指示されたところのもの（指示された感性的対象）とが癒着し、指示されたところのものが指示する語としてあらわれる。特定の語と、この語によって指示されたところのものとを区別することなく一体化して観念するのが、日常的意識（いわゆる『言語物神』にとりつかれた意識）であって、このことは、とくに個別名あるいは固有名において端的にあらわれる。」（『実践と場所』第一巻、八七頁）

表現主体は、意識内で、表現したいことの《内―言語体》を現前化させ、外的世界に表現する。その構造は《実践》と同一である。

「言語的表現態としてあらわされているところの『何かについての・何か』は、用いられている諸言語体それ自身が有つところの意味や指示する対象または事にもとづいて表現されるとともに、用いられている諸言語体の意味より以上の意味（または意義）をあらわすものとなる。なぜなら、言語的表現態は言語規範にのっとった言語体コンプレックスである以上、表現態の構成部分としての諸言語体が有つ固有の意味を超えた意味を、表現場との関係において創造的につくりだすのだからである。（このことは脈絡ないし文脈ということに関係する。）」（『実践と場所』第二巻、四〇二頁）

実践主体が同時に表現主体となって他者に言語的表現を介して働きかける場が、《実践場》の特殊的規定である《表現場》にほかならない。表現者はその都度に形成される《表現場》に決定づけられながら発話する。

「第一項の表現者が発した音声表現態（X）のシニフィエ的シニフィアンにもとづきながらも、第二項の聞き手にとっては、この表現態のシニフィアン的シニフィエのほうが大切なのである。このゆえに第一項の表現者は『場をふまえて』発言しなければならず、第二項の聞き手も『場をふまえて』耳を傾け、発話者が非言語的表現をともなって表現したことの意味を了解し理解することが必要になるのである。」（同上、六三七頁）

3

「差別用語」とは、初めは、新聞社や放送局の（「差別用語」というタイトルの付せられた）便覧に掲載されている語を指示する《言語体》として使用されていたと考えられる。そうした便覧は公表されるものではなく、したがって、各社によって掲載語に異同があったはずのものである。現在の国語辞典には「差別用語」の掲載はなく、「ウィキペディア」の「差別用語」のページには、「他者の人格を個人的にも集団的にも傷つけ、蔑み、社会的に排除し、侮蔑・抹殺する暴力性のある言葉」という小林健治（部落解放同盟のマスコミ対策を担っていた人物であり、私が受けさせられた社外研修の講師のひとりでもあったが、二〇一五年に除名処分を受けたといわれる）の著書からの引用が掲げられている。

記者たちは、記事の執筆にあたって便覧掲載語であれば言い換えをし、校正者は、便覧にしたがって記事をチェックするということがなされていた。こうした使用法の限りでは、表現主体と密着したものであったのだが、便覧に掲載されているとされる語が「差別用語」、「放送禁止用語」としてあらゆる場面で独り歩きするようになる。さらに、一九七〇～八〇年代にかけて、部落解放同盟がジャーナリズムにおける「差別表現」への糾弾闘争を強化すると、それと並行するように、ジャーナリズムの側の「自主規制」も強化された。わが『解放』も「摘発」の対象にされたという記憶があり、かの益目論文はこうした動きにたいする革命的マルクス主義者の立場を示したものであったのかもしれない。

こうした「自主規制」に対して、筒井康隆は「言葉狩り」だと反発したのであろう。作家としては、登場人物の差別意識にもとづく言動を表現するには「差別語」をもってする以外にないという信念にしたがって。

しかし、「言語物神」にとらわれたなかで、事態はなんら解決されてこなかった。たとえば、右翼ジャーナリズムを売り物とするＴＯＫＹＯ　ＭＸテレビは、「言葉狩りより芸術性」と称して「放送禁止用語」をあえて使うことを標榜しているほどに形式化してしまっているのである。

疎外労働のもとであるとはいえ、私の業務は日本語表現の幅と多様性を切り縮める行為であったと痛感させられる。〔「『差別語』がもしもなければ味けなし　喜劇悲劇はうまれはしない。」（同上、六〇二頁）〕

問題は、「差別表現」だとされる文章を、＜私が・誰かが――「何かについて・何かを」――読み手に＞という日本語文の構造に照らして、その意図や目的を捉え返すことにあるのだ。益目論文では、次のようにいわれている。

「かつて吉本隆明は＜メクラの黒田寛一ならいざ知らず、五体健全な北川は……＞としゃっくりのように繰りかえした雑文を『東京大学新聞』（一九六一年五月）に載せたことがあった。しかしこれはメクラを差別したものではない。肉体的メクラである黒田が同時に思想的メクラであるように吉本には映じたからこそ、＜メクラならいざ知らず……＞とタンカを切ったわけなのだ。」（同上、六〇二頁）

吉本がいったのは、「眼の不自由な黒田寛一がとりまきから聴きかじったわたしの『つぶやき』などを歪曲して、引用するのは仕方がない。しかし、五体健全な人間までが、デモに動員された労働者大衆に対するアッピールで、数千数万の労働者を戦闘的にデモに組織することをわたしが夢みた（夢見ることが悪いとはおもわないが）とか、この連中に対して『マルクスの馬グソひろい』といったとか、（正確には『頭のなかに馬糞のようにつめこんだマルクス、エンゲルス、レーニンの言葉の切れっぱしを手前ミソにならべたてて』とかいた。）いけしゃあしゃあと書くにいたっては、その脳髄の正常さをうたがわざるをえないのである。」（「睡眠の季節」、『吉本隆明全著作集』一三、五六八頁）というものである。たとえ「眼の不自由な」といったとしても、「五体健全な人間」にたいして黒田を擁護しているわけではないし、黒田の「目の不自由さ」をダシにして「思想的メクラ」性を揶揄することがこの文章の目的であることは明らかである。「メクラ」といおうが「目の不自由な」といおうが、吉本の意図は変わらないのである。（このような二人の文章を読んでいたので、黒田さんが亡くなった後に『芸術的抵抗と挫折』が「こぶし文庫」に収録されたのには驚いた。そしてこぶし書房編集部のインタビューの冒頭で、「僕のこの本を、黒田寛一さんが亡くなる前に『こぶし文庫』に推奨してくれたと聞きましたが、ありがたいことです」と吉本さんが語っているのを読み、そうだったのかと感銘をうけた。)

「どういう場において、どういう諸関係のもとで、メクラとかカタワとかビッコとかといった言葉が用いられるかが問題なのだな。」(『覺圓式アントロポロギー』こぶし書房 一〇五〜六頁)

「言葉＝言語体を用いる人間の諸関係から切り離されて、言葉は自立し自己運動を開始する。これが、いわゆる言語物神である。この言語物神にとりつかれた意識が特定のコンプレックスと結びついた時、ただその時にだけ『差別用語』なるものが実在するかのようになるだけのことなのである。」(『実践と場所』第二巻、六〇二頁)

川元祥一著『差別と表現』(三一書房、一九九五年刊)は、〝断筆騒動〟のなかで公刊されたいくつかの書籍の一冊である。部落問題研究家・作家による本書は、「差別」を否定し「差異」を肯定する立場から、『禁句集』『言い換え集』を一日も早く克服することが今最も大切な課題だと思う」とか「つまり言葉を言い換えてみたところで終わらないということである」といった主張を述べるために、ソシュールの言語論などをも援用している。しかし、そこでは、言葉そのものが「記号性」と「符号性」の二面性をもつとか、「シニフィアン(能記)」と「シニフィエ(所記)」も言葉のもつ二面性だとか、勝手な「理解」が開陳されている。また「言語(langu)は常に意味をもつ。それを記号論者は『あるものが別のものを表す』と規定する。／この規定にある最初の『あるもの』は記号＝言語であり、後の『別のあるもの』というのは言語の対象（言語が指示する指示物や関係性）である」（一四四頁）という。ここでも、野間宏や養老孟司と同じように、《言語体》の意味は対象のなかに宿っていると考えられている。このような言語観のもとでは課題の「解決」などありえないだろう。

4

私はすでに職場を離れたのだが、在職中にある組合員の団交での発言が問題にされたことがあった。「パワハラ」を受けて精神的に不安定になり、業務遂行に支障をきたすようになった組合員にかけられた解雇攻撃を撤回させるための団交で、金銭解決にもっていこうとするスターリニスト・ダラ幹の融和的な発言にしびれを切らし、問題の発端に「パワハラ」があることを明確にすべく、この組合員は、会社は当該組合員を「カタワにした」と発言した。これは「差別発言」ではありえない。当該組合員に向けた発言ではないし、当該組合員を貶めるためではなく擁護するための発言であるのだから。したがって当然にも、資本家どもからは何の文句もでなかった。《実践場》は組合の団交であり、《表現場》はこの組合員と資本家どもということになる。

ところが、スターリニスト・ダラ幹は、後日になって、これを「差別発言」だと問題にし、わざわざ組合から会社に謝罪にいかせた。このことによって、この組合員は、組合と会社の双方から追及をうけることとなった。

その組合員は、「差別語かどうかは文脈によって決まるのだ」と憤慨していたが、そもそも、《言語体》が習得されるときには、それに関係する価値意識をともなって《内—言語体》化されるのだ。また、《内—言語（体）》をもちいて外的世界へ対象化がなされる場合にも、そこに表現主体の価値意識が大きく働いているのである。したがって、同じ「カタワ」という《言語体》を用いた発言でも、その組合員と他の組合員とでは、受けとめ方が同じであるわけではない。

「音声表現は、いうまでもなく、発声し発語する社会内存在としての人間主体なしにはありえないだけではなく、この主体は、日常的生活行為や『人─間』的実践の体験をつうじてみずから形成した『知られ・識る』存在としての社会的価値意識を、習得された諸言語体および言語的社会規範としての《内─言語》を即自化しアプリオリ化したそれを有っている。このような『社会的＝個別的』価値意識を有つ人間実践主体が、社会関係内存在としての他の実践主体を表現対象とする表現主体となるのであり、自己にとっての客体である他者(たち)にむかって表現主体は音声を発するのである。」(同上、六三一〜二頁)

ましてや「言語道具観」で育ったスターリニストにおいておや。だから、「表現者は『場をふまえて』発言しなければならず」といわれるのだろう。

この問題の本質は、スターリニスト・ダラ幹が、団交での一組合員の発言を「差別発言である」と歪曲してとらえ、それを政治主義的に利用して自分たちの方針を押しつけようとしたことにあるといっていい。こうした悪辣な頭の回し方ができるのはスターリニストに限られるといっていいのかもしれないが、かれらにそうした発想を許す根拠として、差別反対闘争の負の遺産が存在することは間違いない。すなわち、差別の現実（《実践場》あるいは《レベル─ゼロ》）と闘うのではなく、その表現（《表現場》あるいは《レベル─2》）を変えることが差別との闘いであるかのように考えてしまう傾向である。あらためて、「差別用語なるものを実体化して実在するかのように信じ込む意識からの解放こそが、あらゆる差別撤廃運動の出発点なのだ」という革命的立脚点を肝に銘じなくてはならない。

一九七〇〜九〇年代とは異なり、インターネットやSNSの時代となり、《表現場》は、想像しえないほどの広がりと多様性を示している。それは、あらたな疎外を生みだし「人間の滅び」を招きよせている。われわれは、黒田さんの残してくれた思想と理論を主体化し、こうした問題にも切りこんでいかなければならない。

(二〇二四年二月十四日)

国際・国内の階級情勢と革命的左翼の闘いの記録（二〇二四年二月〜三月）

国際情勢

2・1 **EU臨時首脳会議でウクライナ約8兆円支援を決定**。ハンガリー首相オルバンは退席し事実上賛成

▽台湾立法院初会期開幕、院長に親中派国民党の韓国瑜（民衆党が民進党候補を支持せず棄権）

2・2 **米軍がイラク・シリアの親イラン勢力やイラン革命防衛隊の拠点など85ヵ所を空爆**

2・3 **米英両軍がイエメンのフーシの36拠点を攻撃**

2・6 ハマスが人質交換・人道支援・イスラエル軍撤退など45日間の戦闘休止案を提示。ネタニヤフは拒否

▽米議会でウクライナ支援・移民対策を盛りこんだ超党派の法案がトランプ派共和党議員の反対で頓挫

2・7 米軍がバグダッドでカタイブ・ヒズボラの司令官を含む幹部3人を無人機攻撃で殺害

2・8 ゼレンスキーが総司令官ザルジニーを解任、作戦で対立との報道。後任に陸軍司令官シルスキー

2・9 イラン外相がレバノン訪問、ハマスやイスラム聖戦の代表、ヒズボラ指導者ナスララと会談

2・10 トランプが「アメリカはNATO諸国を守らない、ロシアにやりたい放題させる」と演説

▽露のウクライナ動員兵の妻たちが帰還を求めて抗議

2・12 **イスラエル軍がガザ最南部ラファ攻撃を開始**。ハンユニスのナセル病院に突入、5人死亡、負傷者多数（15日）。ラファを8時間空爆し97人死亡（22日）

2・14 ウクライナが露大型揚陸艦をクリミア沖で撃沈

2・15 ウクライナにドローン100万機を提供とNATO

国内情勢

2・1 「連合」会長・芳野友子と経団連会長・十倉雅和が労使トップ会談。芳野は「労使関係は運命共同体」と語る

2・2 自民党が裏金問題で関係議員約90人の事情聴取を開始。パーティー収入の還流分を政治資金収支報告書に記載しなかった安倍派と二階派の議員リストを野党に提示（5日）

2・5 首相・岸田文雄が来日したイタリア首相メローニと会談、次期戦闘機開発の進展に努力と確認

2・6 厚生労働省が23年実質賃金が前年比2・5％減と発表

2・7 文部科学相・盛山正仁（岸田派）が統一協会系団体からの選挙支援を認める。盛山の不信任決議案が衆院本会議で否決（20日）

▽福島第一原発で高濃度汚染水漏れが判明

2・11 防衛省が沖縄県うるま市で陸自の新訓練場建設計画の説明会、地元自治会は反対を決議。防衛省は計画を見直す方針と報道（29日）

2・12 日本主導の太平洋・島サミット閣僚会合（フィジー）。「一方的現状変更に反対」の声明

2・13 原発環境整備機構が核ゴミ最終処分場の「文献調査」報告書。北海道寿都町と神恵内村に「概要調査」に進める適地ありと明記

2・14 中央教育審議会が教員のなり手不足対策

革命的左翼の闘い

2・3 全学連と北信越地方共闘会議が「改憲・大軍拡阻止！ ロシアのウクライナ軍事侵略粉砕！ イスラエルのガザ人民ジェノサイド弾劾！」に決起。米大使館・国会・首相官邸に戦闘的デモ。能登地震の被災者見殺しも弾劾

▽琉球大学学生自治会が大浦湾埋め立て反対の「県民大行動」（キャンプシュワブ・ゲート前、主催・オール沖縄会議）で奮闘

2・5 全学連北海道地方共闘会議が米イージス駆逐艦寄港阻止闘争（小樽）。矢臼別米海兵隊演習阻止も呼びかける

2・9 わが同盟が金沢市香林坊で岸田政権の能登被災民切り捨てを弾劾し情宣

2・11 「**労働者怒りの総決起集会**」**を全国結集で実現**（**東京**）。第一基調報告「物価引き上げを許すな！ 大幅一律賃上げ獲得！ 24春闘の戦闘的高揚を！」、第二基調報告「大軍拡・改憲阻止！ 大増税・社会保障切り捨て反対！ 岸田反動政権を打倒しよう」。わが同盟代表がウクライナの仲間との交流を報告。全学連が連帯発言、震災現地石川・関西民間・九州教労・郵政

事務総長が発表。英、ラトビアなど数ヵ国が参加

2・16 **ゼレンスキーが独首相ショルツ、仏大統領マクロンと軍事支援継続の二国間安保協定を締結**

▽**露刑務当局が収監中のナワリヌイの死亡を発表、**14日間遺体引き渡しを拒否。露各地の追悼行動で102人拘束。露当局が17日までに抗議行動の400人拘束

2・17 ウクライナ軍が東部ドネツク州アウディーイウカから撤退すると発表

2・18 ブラジル大統領ルラがガザ攻撃はジェノサイドと非難。イスラエルが駐ブラジル大使召還を表明

2・20 国連安保理でガザの即時人道的停戦決議案を否決、米が4度目の拒否権を行使、英が棄権

2・22 ネタニヤフが戦闘終結後のガザの直接統治を謳う方針文書を提示

2・23 米政府が2年間で最大の対露追加制裁(防衛・金融など500団体・個人を対象)を発表。EUも追加制裁

2・24 露のウクライナ侵攻2年―世界各地で抗議行動

2・26 マクロンがパリでウクライナ支援の国際会議を主催、地上軍派遣も辞さずと言明

▽スウェーデンNATO加盟決定、ハンガリー承認で

2・27 国連人権問題調査事務所がガザ地区では人口の4分の1、57・6万人が餓死寸前と発表。イスラエル軍がガザ市で食糧支援を求める人々を一斉射撃、112人以上が死亡(29日)

2・29 プーチンが年次教書演説、ウクライナへの「特別軍事作戦を完遂」「戦略核戦力は臨戦態勢」と言明

▽親露派の「沿ドニエストル共和国」議会がモルドバ政府から経済的圧迫を受けたと露に保護要請

▽ハマスやファタハらの幹部がモスクワで会談

の審議開始。給特法改定を論議

2・15 日本の23年GDPが4・2兆ドル。4・4兆ドルのドイツに抜かれ世界第4位に

2・16 医療保険加入者全員から月500円を徴収する「子ども子育て支援法」改定案を閣議決定

2・18 『毎日新聞』世論調査で内閣支持率が14%

2・19 防衛省の「防衛力強化に関する有識者会議」で元経団連会長・榊原定征が防衛費43兆円からの積み増しをタブー視するなと主張

▽日本ウクライナ経済復興推進会議開催(東京)

▽東大が文理融合の「国際的人材育成」を掲げ27年秋の5年制課程新設を決定

▽防衛省が23年5月に海自の司令官ら幹部165人が靖国神社に集団参拝したことを認める

▽韓国の元徴用工訴訟原告側が日立造船の裁判所への供託金を受領と公表。受領は初

2・21 ホンダ、マツダ、ヤマハが労組の賃上げ・一時金要求に「満額」回答

2・22 東証株価の終値が3万9098円。34年ぶりに史上最高値

2・24 台湾のTSMCが熊本工場で開所式

2・27 **政府が「セキュリティ・クリアランス制度」法案を国会提出。労働者の身辺調査を強化**

▽1月消費者物価指数が前年同月比2%上昇、29ヵ月連続で上昇

▽23年出生数75万人、8年連続で過去最少更新

2・29 岸田と二階派事務総長・武田良太が衆院政治倫理審査会に出席。岸田は安倍派の裏金作りの時期については未確認とくりかえす

・東海自動車の労働者が決意表明

2・17 鹿児島大学共通教育学生自治会が「基地のない九州・南西諸島をつくる集会」(鹿児島市、主催・平和フォーラム)に結集。労働者・市民とデモ

2・24 わが同盟が「ウクライナに平和を!」集会(青山公園、さようなら原発など主催)に結集した労働者・市民に〈プーチンの戦争〉粉砕を訴える。首都圏のたたかう学生が集会を戦闘的にぬりかえ三河台公園までデモ

・全学連道共闘と反戦青年委員会が在札幌ロシア総領事館前で〈プーチンの戦争〉を弾劾。「ウクライナ・パレスチナに平和を! 札幌集会」(主催・戦争をさせない北海道委員会)で奮闘

・神戸大生の会と奈良女子大学学生自治会がロシア総領事館に侵略弾劾の拳(豊中市)。その後ロシア侵略2年、ガザ侵攻4ヵ月に際し開かれた集会に結集したたかう(大阪市)

・わが同盟が金沢市香林坊で〈プーチンの戦争〉粉砕の情宣

・わが同盟が福岡市天神で情宣

2・25、3・3 **ウクライナ侵略2年の労学統一行動に全国で決起**。「ウクライナ自由労働組合連合」「ウクライナ連帯ヨーロッパ・ネットワーク」の呼びかけに応えた世界の労働者と連帯

3・2 露軍がオデーサを無人機攻撃、12人死亡
3・4 米韓両軍が合同演習「フリーダム・シールド」を韓国で開始（～14日）
3・5 中国全人代開幕（～11日）。首相・李強が政府活動報告で成長率目標5％前後、国防費7・2％増などをうちだす。諸議案への反対票が最大の44。大会後に慣例の首相会見をおこなわず
▽米大統領選スーパーチューズデー。トランプ14勝1敗。ヘイリーは撤退を表明（6日）
3・7 ガザの戦闘開始以後5ヵ月。死者3万800人、孤児1万7千人とガザ保健省が発表
▽バイデンが一般教書演説でイスラエルのハマスにたいする武力行使の「権利」を謳う
▽中国海軍政治委員が空母4隻目を建造中と認める
3・11 **ガザでラマダン開始、イスラエル軍の攻撃で67人死亡。ラファの国連パレスチナ難民救済機関の食料配給センターを攻撃、職員が死亡**（13日）。ガザ北部シファ病院を包囲し銃撃（18日）、「約150人以上殺害」と発表（22日）
▽中・露・イランがオマーン湾で合同演習（～15日）
3・12 **米政権が2ヵ月半ぶりにウクライナにたいする軍事支援を発表。最大3億ドル相当**
▽ナワリヌイ側近ボルコフがリトアニアで暴行うける
3・13 米下院が中国TikTok利用禁止法案を可決
3・16 中国海警局の4隻が台湾の設定した金門島付近の「禁止・制限水域」に連日侵入。2月14日、3月14日に中国漁船が転覆し乗員が死亡・不明となったことを口実とした中国の報復・圧力行動
3・17 **露大統領選でプーチンが「投票率77％、得票率**

3・1 安倍派幹部の西村康稔、松野博一、高木毅、塩谷立が衆院政倫審に出席。4人はパーティー収入のキックバック復活の経緯について知らぬ存ぜぬをきめこむ
▽NTT法改定案を閣議決定。最先端通信技術の軍事体制構築への動員・活用を狙う
3・4 東証終値が初の4万円台に
3・6 23年度の生活保護申請が前年比7・6％増。増加はコロナ以後4年連続
3・7 公取委が日産を下請法違反と認定。下請け業者に支払う代金の引き下げを強要
3・11 米ミサイル駆逐艦が石垣港入港。イージス艦初の沖縄民間港入りに全港湾労組がスト
3・13 春闘集中回答日。大手企業の48組合の平均賃上げ額1万5千円弱
3・14 在日米軍がオスプレイの国内飛行再開を強行。陸自木更津駐屯地でも再開（21日）
▽参院政倫審に安倍派前参院幹事長・世耕弘成ら3名が出席、裏金作りへの関与を否定
3・15 **自・公が日英伊共同開発の次期戦闘機の第三国輸出解禁を合意**
▽「技能実習」制度に代わる「育成就労制」の新設を柱とする入管難民法改定案を閣議決定
▽「連合」が春闘回答の初回集計結果を発表。正社員賃上げ率5％超えは33年ぶりなどと喧伝
3・18 防衛省が北朝鮮から弾道ミサイル3発が北東の方向に発射されたと発表
▽衆院政倫審で安倍派元事務総長・下村博文が裏金作りへの関与を否定

＜2・25＞全学連と反戦青年委員会が芝公園からロシア大使館に進撃。「イスラエルのラファ総攻撃阻止」「日本の大軍拡・改憲阻止」も掲げたたかう
・全学連東海地方共闘会議と名古屋地区反戦が雨をついて名古屋市街をデモ
・沖縄県学連と県反戦労働者委員会が国際通りを進撃
・北信越共闘が金沢市香林坊で情宣、能登地震被災者切り捨ても弾劾
＜3・3＞道共闘と反戦青年委がロシア総領事館にデモ（札幌市）
・全学連関西共闘会議と反戦青年委が大阪市扇町通りを梅田まで戦闘的デモ
・全学連九州地方共闘会議と反戦青年委が福岡市中心街をデモ
3・1 わが同盟が「連合大阪」の春闘決起集会（大阪市扇町公園）に闘いの檄
3・2 琉球大学生会と沖国大自治会がキャンプシュワブ・ゲート前の「県民大行動」で「大浦湾埋め立て阻止」「陸自ミサイル部隊の配備反対」を訴える
3・3 わが同盟が「連合愛知」春闘集会（名古屋市）に労働貴族弾劾の檄
3・5 わが同盟が「連合北海道」春闘集会（札幌市）会場前で情宣
3・8 わが同盟が「連合石川」春闘集会（金沢市）で価格転嫁要求弾劾の情宣

87%」で勝利宣言。2200万票が不正との報（18日）
3・20 中国・王毅が訪豪、首相・外相と関係改善を確認
3・21 英・豪2＋2および国防相会談（シドニー）で両国の新たな防衛・安全保障協定に署名
▽EU首脳会議でガザの「即時の戦闘休止」を決議
3・22 **モスクワ郊外のコンサート会場で数人の武装グループが自動小銃を乱射、140人以上が死亡し180人超が負傷。「イスラム国」が実行声明。プーチンはウクライナが関与と強弁**（23日）。**FSB長官ボルトニコフと安保会議書記パトルシェフが「イスラム過激派が準備しウクライナが支援した」と再び強弁**（26日）。**ベラルーシ大統領ルカシェンコが「犯人は当初ベラルーシに逃げこもうとした」と発言**（26日）
3・23 フィリピンが実効支配する南シナ海アユンギン礁周辺で比船に中国海警局船が放水
3・25 国連安保理がガザでの即時停戦要求決議案を採択、米は棄権。イスラエルは米の拒否権不行使に抗議
▽露軍が22～25日にかけてウクライナ全土の電力施設を攻撃。露軍がウクライナ6州のエネルギー関連施設を一斉攻撃、発電能力が半減（29日）
▽露対外情報局長官ナルイシキンが訪朝（～27日）
3・27 習近平が訪中のオランダ首相ルッテと会談、最先端半導体技術の対中規制への同調に不満を表明
3・28 国連安保理が対北朝鮮制裁を監視する「専門家パネル」の任期延長を露の拒否権発動で否決
3・29 イスラエル軍がシリア北部アレッポ近郊を空爆、ヒズボラやシリア政府軍の52人が死亡
3・31 エルサレムで人質解放を求め数万の反政府デモ

3・19 日銀がマイナス金利を解除。月額6兆円の国債買い入れ・金融緩和は継続
3・21 来日中の米国務副長官キャンベルが日米首脳会談の中心課題は日・米両軍司令部の指揮統制・連携強化と言明
▽**うるま市の勝連分屯地に沖縄本島初の地対艦ミサイル連隊、与那国島に電子戦部隊が発足**
3・22 2月の消費者物価指数が前年比2・8%上昇。生鮮品を除く食料品は同5・3%増
3・24 陸自が竹松駐屯地（長崎県）で水陸機動団第3連隊の新編式。水機団を3千人規模に
3・25 自民党元幹事長・二階俊博が次期衆院選不出馬を表明。派閥裏金疑惑で引責
3・26 **日英伊共同開発の次期戦闘機の第三国への輸出解禁を閣議決定。NSCが「防衛装備移転三原則」の運用指針を改定**
3・27 円安で34年ぶりに1ドル＝152円寸前に
3・28 24年度予算が参院本会議で可決、成立。防衛費は7兆9496億円の過去最大
▽東電が柏崎刈羽原発7号機に4月15日に核燃料を装填すると原子力規制委に申請
3・29 美浜原発3号機と高浜原発1～4号機の運転差し止めを求める地元住民の仮処分申請を福井地裁が却下
▽政府が「特定利用空港・港湾」に沖縄・九州・北海道など7道県16施設を指定の方針を決定、平時から自衛隊や海上保安庁が使用可能に
▽JR東海がリニア新幹線27年開業を断念

3・10 **沖縄県学連が陸上自衛隊勝連分屯地へのミサイル部隊配備阻止の現地闘争。早朝から決起し労働者・学生・市民の先頭で牽引。中城湾港ゲート前で陸自車両を阻止。**分屯地前でも奮闘
▽鹿大共通教育自治会が「ストップ川内原発」集会（鹿児島市、主催・実行委）に結集したたかう
▽神戸大生の会と奈良女子大自治会が「さよなら原発　アクション」（大阪市、主催・実行委）に決起
3・11 わが同盟が「さようなら原発」主催の集会（札幌市）で情宣
3・24 わが同盟が「平和の集い」（福岡市、主催・総がかり実行委）で「南西諸島・九州の軍事要塞化反対」を訴える
3・30 沖縄県学連が陸自勝連分屯地へのミサイル部隊配備の記念式典を阻止する現地闘争に決起（うるま市）。労働者・市民の先頭でたたかう
▽神戸大生の会と奈良女子大自治会が「とめよう！　戦争への道」集会（大阪市、主催・実行委）に結集し「日米首脳会談反対」を訴え奮闘
〔黒田寛一著作集・第18巻『組織論の形成』をKK書房から2月に刊行〕

『新世紀』バックナンバー

No.330 2024年5月

ロシアのウクライナ侵略二年

〈プーチンの戦争〉を粉砕せよ／労学統一行動に起て／首都に反戦の火柱／闘うウクライナ人民と連帯して・「左翼」のデタラメな10の主張　他／2・11労働者集会第一報告、第二報告／郵政春闘／能登半島地震／労働者に脅える習近平

No.329 2024年3月

暗黒の世界を革命的に転覆せよ

安保強化・改憲粉砕／愛大当局の学生自治会破壊弾劾／国立大法人法の改悪粉砕／国際卓越研究大／現代世界経済の腐蝕／イスラエルのガザ人民殺戮を許すな／ロッタ・コムニスタ批判／UAWスト／日本郵政のヤマトとの業務提携

No.328 2024年1月

パレスチナ人民ジェノサイドを許すな

イスラエルのガザ攻撃弾劾／革マル派結成60周年9・24革共同集会／熱核戦争勃発の危機を突き破れ／灼熱化する地球／愛大生・名大生への不当捜索弾劾／関西労働者の逮捕弾劾／職務給導入／電機連合・自治労・自治労連・全印総連

No.327 2023年11月

米日韓核軍事同盟の強化を許すな

8・6国際反戦集会の大高揚／海外からのメッセージ／プリゴジン暗殺の深層／印の戦略的自律外交／米中半導体戦争／放射能汚染水の海洋放出弾劾／続発するマイナカード関連トラブル／そごう・西武スト／給特法撤廃をかちとれ

新 世 紀　第331号（隔月刊）

日本革命的共産主義者同盟 革命的マルクス主義派 機関誌©

発行日　2024年 6 月 10 日

発行所　解　放　社

〒162-0041　東京都新宿区早稲田鶴巻町 525-3
電話 03-3207-1261　振替 00190-6-742836
URL http://www.jrcl.org/

発売元　有限会社 Ｋ Ｋ 書 房

〒162-0041　東京都新宿区早稲田鶴巻町 525-5-101
電話 03-5292-1210　振替 00180-7-146431
URL http://www.kk-shobo.co.jp/

ＩＳＢＮ 978-4-89989-331-8　C0030